Service de presse

Les secrets des *bouchées* apéritives

révélés par Jérôme Ferrer

Plus de 200 recettes de bouchées gourmandes

LES ÉDITIONS **LA PRESSE**

**CATALOGAGE AVANT PUBLICATION DE
BIBLIOTHÈQUE ET ARCHIVES NATIONALES DU
QUÉBEC ET BIBLIOTHÈQUE ET ARCHIVES CANADA**

Ferrer, Jérôme

    Les secrets des bouchées apéritives révélés par Jérôme Ferrer

    Comprend un index.

    ISBN 978-2-89705-043-6

    1. Hors-d'œuvre. 2. Amuse-gueules. 3. Canapés (Cuisine).
    I. Titre.

TX740.F47 2012   641.81'2   C2012-940936-7

Directrice de l'édition
Martine Pelletier

Éditrice déléguée
Sylvie Latour

Conception graphique
Ose Design

Infographie
Pascal Simard

Photo couverture
Ose Design

LES ÉDITIONS **LA PRESSE**

Présidente
Caroline Jamet

7, rue Saint-Jacques
Montréal (Québec) H2Y 1K9

*L'éditeur remercie le gouvernement du Québec pour l'aide
financière accordée à l'édition de cet ouvrage par l'entremise
du Programme de crédit d'impôt pour l'édition de livres
administré par la SODEC.*

*L'éditeur bénéficie du soutien de la Société de développement
des entreprises culturelles (SODEC) pour son programme
d'édition et pour ses activités de promotion.*

*L'éditeur reconnaît l'aide financière du gouvernement
du Canada, par l'entremise du Programme d'aide
au développement de l'industrie de l'édition (PADIÉ)
pour ses activités d'édition.*

Remerciements

Un grand merci à vous chers gourmets et gourmands.
Grâce à votre fidélité, vous avez transformé mes ouvrages de recettes en véritable collection à succès. C'est une joie et un réel plaisir pour moi de partager ma passion, mes goûts et ma cuisine avec vous. Le voilà renouvelé, ce plaisir, avec les secrets des bouchées apéritives.

Je remercie du fond du cœur Martine Pelletier qui est la plus charmante des éditrices ainsi que tout les gens de son bureau pour leur confiance. Et à vous mes chers clients qui représentez toute ma famille avec ma fabuleuse équipe du groupe Europea.

Merci à vous tous de faire battre mon cœur et de me donner le goût de me surpasser dans mon métier de cuisinier.

Jérôme Ferrer

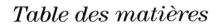

Table des matières

Introduction

Amoureux des arts de la table et du plaisir de recevoir, j'ai toujours apprécié l'effort mis par le cuisinier quand vient le moment de partager un repas en bonne compagnie.

Cuisiner pour les autres est un geste d'amour. C'est offrir un morceau de soi-même peu importe qu'il s'agisse d'une réception impromptue entre amis, d'un cocktail dînatoire ou d'un dîner d'apparat.

Dans ce quatrième livre de la collection *Les secrets révélés par Jérôme Ferrer*, je vous propose mon aide pour faire de vos réceptions un succès, quelle que soit l'occasion de fêter avec vos convives.

Je vous propose plus de 200 produits de base – présentés en ordre alphabétique – et une recette associée à chacun. Vous avez par exemple un artichaut dans votre frigo ? Du maïs à éclater dans votre garde-manger ? Ce sont d'excellents départs pour la confection de bouchées apéritives simples et savoureuses.

De tout pour tous les goûts !

Et pour vous faciliter encore plus la tâche, je vous offre en annexe des combinaisons de menus pour une quinzaine d'occasions, comme les partys autour de la piscine, la pendaison de crémaillère, les soirées entre filles ou entre gars. Vous serez paré à tout !

Vive la cuisine, mes chers amis ! Faites taire Sainte-Culpabilité et amusez-vous !

Gastronomiquement vôtre,

Jérôme Ferrer

Icônes et légendes

Les recettes proposées sont pour 4 à 6 personnes.

L'horloge

 Indique le temps de préparation.

Les toques

Indique le degré de facilité de préparation.

Simple à exécuter.

Facile mais à surveiller.

Demande de l'attention.

Astuces du chef!

 Des conseils et astuces du chef.

Préparation

 Cuisson    Sans cuisson

Préparation

Trois unités de mesure seulement sont utilisées dans les recettes pour faciliter votre tâche.

• La tasse • La cuillère (à thé ou à soupe) • La pincée •

Table de conversion simplifiée

Un tableau de référence qui vous aidera à faire le calcul de vos mesures pour les aliments liquides et les solides. L'unité de mesure de base est la tasse.

Liquide
(lait, eau, crème)
1 tasse = ¼ de litre ou 250 ml
1 cuillère à soupe = 15 ml

Beurre
1 tasse = ¼ de kg ou 250 g
1 cuillère à soupe = 15 g

Sucre
1 tasse = 200 g
1 cuillère à soupe = 15 g

Farine
1 tasse = 100 g
1 cuillère à soupe = 10 g

Riz
1 tasse = 200 g
1 cuillère à soupe = 15 g

Chapelure
1 tasse = 100 g
1 cuillère à soupe = 10 g

Récapitulatif des cuissons

Doux : 75 °C / 150 °F
Doux : 100 °C / 200 °F
Doux : 125 °C / 250 °F

Moyen : 150 °C / 300 °F
Moyen : 180 °C / 350 °F

Chaud : 200 °C / 400 °F
Chaud : 220 °C / 425 °F

L'art de recevoir

Recevoir chez soi est un acte d'amour et de générosité. Nous souhaitons faire plaisir et y ajouter un peu de notre personnalité.

Venu le temps de choisir nos contenants pour servir les bouchées, les choix peuvent paraître difficiles.

Voici quelques idées parmi tant d'autres pour vous aider:

- Verrines
- Minipots à confiture
- Vaisselle à cocktail dînatoire
- Grandes ou petites cuillères
- Fourchettes de table
- Cure-dents
- Piques à brochette
- Verres à *shooter*
- Agrumes évidés
- Coquetiers
- Assiettes à pain
- Petits cornets de papier
- Pinces à linge
- Cuillères chinoises
- Biscuits soda
- Tranches de pain grillé
- Miches de pain creusées

Les bouchées gourmandes

Dans cette section, plus de 200 recettes de bouchées classées par produits, de A à Z.

AGNEAU (CÔTELETTES)

Côtelettes d'agneau paprika-romarin dînatoires

⏱ 35 min

🔥

4 à 6 côtelettes d'agneau, manchonnées	1 c. à thé de paprika
Sel et poivre du moulin	2 gousses d'ail, en purée
3 c. à soupe de moutarde	½ t. de chapelure
4 c. à soupe de romarin, haché	

PRÉPARATION: Assaisonner les côtelettes d'agneau de sel et de poivre sur toutes les surfaces. Badigeonner la viande de moutarde. Dans une grande assiette plate, déposer le romarin haché et le paprika. Passer les côtelettes dans le mélange d'herbes pour en couvrir toutes les surfaces. Placer un peu de purée d'ail sur chaque côtelette et parsemer de chapelure. Laisser reposer au frais 10 minutes. Cuire les côtelettes au barbecue ou dans une grande poêle 2 à 3 minutes de chaque côté.

 Servir bien chaud en enroulant une petite serviette en papier sur la longueur de l'os de l'agneau.

AUTRE RECETTE:
• Brochettes d'agneau à la menthe (page 14)

AGNEAU (CUBES)

Brochettes d'agneau à la menthe

⏱ 30 min

🔥

½ t. de yogourt nature	⅓ t. de menthe, hachée
2 gousses d'ail, hachées	Sel et poivre du moulin
Quelques gouttes de sauce Tabasco	1 t. d'agneau, en cubes de 1 cm
2 c. à soupe de coriandre, hachée	½ poivron rouge, en dés
	1 filet d'huile d'olive

PRÉPARATION: Dans un bol, déposer le yogourt, l'ail et la sauce Tabasco. Ajouter la coriandre et la menthe. Remuer. Assaisonner de sel et de poivre. Embrocher les cubes d'agneau et les poivrons en alternance sur des cure-dents pour faire des minibrochettes. Verser un filet d'huile d'olive sur la viande. Assaisonner de sel et de poivre.

n sac en plastique, déposer les minibrochettes et la
ade de yogourt. Laisser reposer 30 minutes au frais.
une poêle, cuire les minibrochettes.

*Servir bien chaud dans un petit plat à tajine,
par exemple.*

AUTRE RECETTE :
• Côtelettes d'agneau paprika-romarin dînatoires (page 14)

AIGLEFIN

Flocons d'aiglefin à l'aneth

20 min

1 t. d'aiglefin, en cubes
4 c. à soupe d'huile d'olive
Jus de 1 quartier de citron

Sel et poivre du moulin
3 c. à soupe d'aneth, hachée

PRÉPARATION : Dans une casserole d'eau bouillante,
faire pocher l'aiglefin 3 à 5 minutes. Retirer délicatement
et égoutter. À l'aide d'une fourchette, défaire l'aiglefin en
flocons. Dans un bol, déposer les flocons de poisson et
verser l'huile d'olive. Arroser de jus de citron. Assaisonner
de sel et de poivre. Ajouter l'aneth. Remuer délicatement.

*Remplir au 3/4 des verrines ou des verres à shooter.
Servir de préférence tiède, mais tout aussi délicieux
froid. Déposer du gros sel sur une assiette et placer
les verrines sur le dessus pour une présentation plus
soignée.*

AIL

Bonbons d'ail confit en chemise

45 min

2 à 3 têtes d'ail divisées
en gousses, en chemise
(avec pelure)
1 t. d'huile d'olive

1 branche de thym ou de
romarin

PRÉPARATION : Dans une casserole d'eau bouillante,
plonger les gousses d'ail. Cuire 2 à 3 minutes. Retirer
et laisser sécher à température ambiante sans retirer la
pelure des gousses. Dans un plat à gratin, déposer les
gousses d'ail asséchées. Verser l'huile d'olive. Placer la

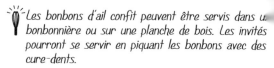

branche de thym ou de romarin sur le dessus. Cuire à
45 minutes à 180 °C/350 °F. Retirer et laisser refroidir

> 💡 *Les bonbons d'ail confit peuvent être servis dans une*
> *bonbonnière ou sur une planche de bois. Les invités*
> *pourront se servir en piquant les bonbons avec des*
> *cure-dents.*

AMANDE

Amandes torréfiées à la fleur de sel

1 filet d'huile d'olive	1 blanc d'œuf
1 t. d'amandes sans peau, grillées	2 c. à soupe de fleur de sel

30 min

PRÉPARATION : Dans une casserole, verser l'huile d'olive.
Y faire revenir les amandes à feu vif. Retirer et les laisser
refroidir à température ambiante. Déposer les amandes
dans un bol à mélanger et verser le blanc d'œuf. Bien
remuer et remettre une deuxième fois en cuisson dans la
même poêle. Ajouter la fleur de sel. Mélanger de manière
à bien enrober les amandes. Retirer et placer sur un linge
propre pour refroidir à température ambiante.

> 💡 *Pour une touche d'originalité, servir les amandes dans*
> *de petits cornets confectionnés à la main.*

AUTRES RECETTES :
- Amandes grillées au wasabi (page 115)
- Doré aux amandes et jus de citron (page 48)
- Petits sablés aux amandes et cumin (page 85)
- Rillettes de truite aux amandes (page 112)
- Salade de feuilles de chou aux amandes (page 36)

ANCHOIS

Beignets d'anchois au thym

8 à 12 filets d'anchois	1 c. à soupe de thym
1 c. à soupe de vinaigre blanc	½ t. de bière
Sel et poivre du moulin	Huile végétale
1 t. de farine	2 gousses d'ail, hachées

35 min

...RATION: Dans un bol, déposer les filets d'anchois. ...er de vinaigre blanc. Assaisonner de sel et de poivre. ...s un autre bol, déposer la farine et le thym. Assaisonner ...sel et de poivre. Verser la bière et battre la pâte à l'aide ...un fouet. Dans une casserole, chauffer l'huile. Tremper les ...lets d'anchois dans la pâte à beignets, puis les plonger dans l'huile. Retirer à coloration et égoutter sur un papier absorbant.

💡 *Embrocher les filets sur des tiges de bambou ou sur des brochettes. Servir.*

AUTRE RECETTE :
• Crème d'anchois aux olives vertes et topinambour (page 17)

ANCHOIS MARINÉ

Crème d'anchois aux olives vertes et topinambour

🕐 25 min

❄

¹/₃ t. de filets d'anchois, marinés ou à l'huile
1 gousse d'ail, finement hachée
¹/₃ t. de beurre
¹/₃ t. d'olives vertes, dénoyautées
¼ t. de purée de topinambour
Sel et poivre du moulin
Quelques biscuits soda

PRÉPARATION : Dans un bol, déposer les filets d'anchois, l'ail et le beurre. Ajouter les olives vertes et la purée de topinambour. Mixer jusqu'à l'obtention d'une pommade lisse et homogène. Assaisonner de sel et de poivre. Laisser reposer 10 à 15 minutes au frais. Placer la préparation dans une poche à douille. Garnir les biscuits soda d'une petite rosace de crème d'anchois ou simplement étaler la préparation sur toute la surface du biscuit.

💡 *Ne pas hésiter à poser sur la surface un deuxième biscuit soda pour obtenir de délicieux petits burgers à la crème d'anchois.*

AUTRE RECETTE :
• Beignets d'anchois au thym (page 16)

ARACHIDE

15 min

Arachides aux épices

1 t. d'arachides non salées	½ c. à thé de cinq-épices
1 filet d'huile d'olive	1 c. à thé de fleur de sel
Poivre du moulin	

PRÉPARATION : Dans une grande poêle, faire revenir les arachides dans l'huile d'olive jusqu'à coloration. Assaisonner de poivre. Ajouter le cinq-épices. Retirer la poêle du feu et saupoudrer de fleur de sel. Remuer pour bien enrober les arachides. Laisser refroidir sur une plaque. Pour obtenir des arachides très épicées, remplacer le cinq-épices par du piment en poudre et de la sauce Tabasco.

Servir les arachides dans une coupelle.

AUTRES RECETTES :
- Cubes de saumon sauce aux arachides (page 24)
- Fèves sautées aux arachides (page 107)
- Sauté de rutabaga aux arachides (page 100)

ARTICHAUT

Cœurs et feuilles d'artichaut en trempette

30 min

1 ou 2 artichauts fermes et bien dodus, pieds coupés	Sel et poivre du moulin
⅓ t. de mayonnaise	¼ t. de noix de Grenoble, concassées
4 c. à soupe de caramel de vinaigre balsamique (vinaigre balsamique réduit)	2 c. à soupe de ciboulette, ciselée

PRÉPARATION : Dans une casserole d'eau bouillante salée, déposer les artichauts entiers. Laisser bouillir jusqu'à cuisson complète. Retirer et laisser refroidir au frais. Dans un bol, déposer la mayonnaise, le caramel de vinaigre balsamique. Assaisonner de sel et de poivre. Ajouter les noix de Grenoble et la ciboulette. Remuer. Presser les artichauts avec la paume de la main afin de les ouvrir complètement comme une fleur. Retirer l'excédent de foin au centre des artichauts à l'aide d'une cuillère parisienne. Remplir les cavités de préparation.

 Excellent pour une dégustation délicate d'un artichaut feuille par feuille, trempée dans la préparation. Très simple et très savoureux pour un apéritif convivial.

ASPERGE

Roulades d'asperges façon pain doré

8 à 12 asperges vertes
8 à 12 tranches de pain
de mie
3 c. à soupe de beurre

1 filet d'huile d'olive
Sel et poivre du moulin
2 c. à soupe de parmesan
en poudre

25 min

PRÉPARATION: Dans une casserole d'eau bouillante salée, cuire les asperges en prenant soin de les conserver croquantes. Retirer et plonger dans un bol d'eau glacée pour stopper la cuisson. Laisser reposer au frais. Poser les tranches de pain sur un plan de travail et les abaisser à l'aide d'un rouleau à pâtisserie. Placer une asperge à une des extrémités de chaque tranche et enrouler. Couper l'excédent des asperges sur les deux côtés des tranches. Dans une poêle, cuire les roulades jusqu'à coloration. Assaisonner de sel, de poivre et de parmesan.

 Les asperges vertes peuvent être remplacées par des asperges blanches. Servir bien chaud.

AUBERGINE

Cigares d'aubergine parmigiana

1 aubergine, en rondelles
de ½ cm
Sel et poivre du moulin
2 filets d'huile d'olive
¼ t. d'oignon, haché
2 gousses d'ail, hachées
3 c. à soupe de pâte
de tomate

1 c. à thé d'origan
¼ t. de vin blanc
¼ t. de parmesan, râpé
¼ t. de mozzarella,
en tranches
2 c. à soupe de basilic,
haché

45 min

PRÉPARATION : Déposer les rondelles d'aubergine sur une plaque de cuisson. Assaisonner de sel et de poivre. Arroser d'un filet d'huile d'olive. Cuire au four 10 minutes à 180 °C/ 350 °F. Réserver. Dans une poêle, faire revenir l'oignon et l'ail dans un filet d'huile d'olive. À coloration, ajouter la pâte de tomate. Bien remuer. Ajouter l'origan et déglacer avec le vin blanc. Assaisonner de sel et de poivre. Étendre la préparation sur chacune des tranches d'aubergine. Parsemer de parmesan. Déposer les tranches de mozzarella et ajouter le basilic. Enrouler les tranches pour former des cigares. Cuire au four 5 à 6 minutes à 180 °C/ 350 °F.

Déposer les cigares dans des cuillères chinoises ou sur des assiettes à pain.

AVOCAT

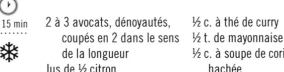

Salade de crevettes au curry en demi-coupes d'avocat

15 min

2 à 3 avocats, dénoyautés, coupés en 2 dans le sens de la longueur
Jus de ½ citron
1 t. de petites crevettes, décortiquées

½ c. à thé de curry
½ t. de mayonnaise
½ c. à soupe de coriandre, hachée
Sel et poivre du moulin

PRÉPARATION : Évider les avocats à l'aide d'une cuillère à soupe. Arroser la chair d'avocat de jus de citron. Dans un bol, déposer la chair d'avocat, les crevettes, le curry et la mayonnaise. Bien mélanger. Ajouter la coriandre. Assaisonner de sel et de poivre. Farcir les coquilles d'avocat avec la préparation. Conserver au frais jusqu'au moment de servir.

Présenter les coquilles farcies dans un plat de service avec des petites cuillères pour la dégustation.

AUTRE RECETTE :
• Tartare de saumon à l'avocat (page 103)

BACON

Miniraclettes au bacon

30 min

3 pommes de terre
Sel et poivre du moulin
1 pincée de thym

6 tranches de bacon
6 tranches de gruyère

PRÉPARATION : Dans une casserole d'eau bouillante salée, cuire les pommes de terre. Retirer, égoutter et laisser refroidir. Couper en rondelles d'environ 1 cm d'épaisseur. Placer sur une plaque de cuisson. Assaisonner de sel et de poivre. Parsemer de thym et recouvrir la surface de bacon. Cuire au four 5 à 6 minutes à 180 °C/350 °F pour faire fondre le gras sur les tranches de pommes de terre. Déposer le fromage sur le dessus et placer sous le gril 2 à 3 minutes.

 Bouchées idéales pour les vins et fromages ainsi que les 5 à 7 gourmands.

AUTRES RECETTES :
- Bâtons de salsifis au bacon fumé (page 101)
- Écrasé de lentilles et croustilles de bacon (page 67)
- Hareng poêlé au bacon (page 59)
- Mousseline au mascarpone de patates douces et bacon (page 83)
- Panna cotta au bacon (page 45)
- Tournedos de banane enrobés de bacon (page 21)

BANANE

Tournedos de banane enrobés de bacon

15 min

2 à 3 bananes, pelées,
    en rondelles de 2 cm
5 tranches de bacon,
    divisées en 4

PRÉPARATION : Enrouler chacune des rondelles de bananes avec une tranche de bacon et les piquer avec un cure-dents. Déposer les tournedos de banane sur une plaque de cuisson. Cuire au four 5 minutes à 150 °C/300 °F.

Le mariage du sucré-salé peut surprendre, mais c'est délicieux. On peut remplacer les bananes par des pruneaux.

BAR RAYÉ

Tapenade de fenouil et bar rayé

35 min

1 bulbe de fenouil, émincé très finement	1 t. de bar rayé, en cubes
2 filets d'huile d'olive	Quelques feuilles d'aneth
Sel et poivre du moulin	

PRÉPARATION : Dans une poêle, confire le fenouil dans un filet d'huile d'olive. Assaisonner de sel et de poivre. Placer les cubes de bar rayé dans un plat à gratin. Parsemer de feuilles d'aneth et arroser d'un filet d'huile d'olive. Cuire au four 8 à 10 minutes à 180 °C /350 °F.

Déposer de petites quantités de fenouil braisé dans le fond de cuillères chinoises. Placer sur le dessus un morceau de bar rayé confit aux feuilles d'aneth. Se déguste chaud ou froid.

BASILIC

Tomates cerises mozzarella-basilic en brochettes

10 min

½ t. de mozzarella, en petites tranches	1 t. de tomates cerises, coupées en 2
1 filet d'huile d'olive	1/3 t. de grosses feuilles de basilic
Sel et poivre du moulin	

PRÉPARATION : Arroser les tranches de mozzarella d'huile d'olive et assaisonner de sel et de poivre. Placer une tranche de mozzarella entre deux moitiés de tomate cerise. Enrober les tomates d'une feuille de basilic. Piquer d'un cure-dents.

Pour servir, présenter les minibrochettes piquées dans une grosse tomate bien rouge pour former un hérisson.

AUTRE RECETTE :
• Mozzarella frite et basilic (page 74)

BETTE À CARDE

Petits triangles de bette à carde en pâte phyllo

35 min

1 tige de bette à carde avec feuilles
1 gousse d'ail, hachée
1 filet d'huile d'olive
1 noix de beurre

Sel et poivre du moulin
¹/₃ t. de crème 35 %
Quelques gouttes de vin blanc
1 rouleau de pâte phyllo

PRÉPARATION : Détacher les feuilles de la tige de bette à carde. Dans une casserole d'eau bouillante salée, plonger en premier la tige, puis les feuilles pendant quelques secondes. Laisser refroidir. Hacher. Dans une poêle, faire revenir la bette à carde et l'ail dans l'huile d'olive et le beurre. Assaisonner de sel et de poivre. Verser la crème et le vin blanc. Laisser mijoter. Disposer la pâte phyllo sur un plan de travail. Couper en carrés. Déposer une cuillère de préparation sur chaque carré et refermer pour former des triangles. Déposer sur une plaque de cuisson. Cuire au four 10 minutes à 180 ºC/350 ºF.

 Tout aussi délicieux en chaussons avec de la pâte feuilletée.

BETTERAVE

Macédoine de betterave au chèvre

15 min

1 t. de betteraves cuites, en dés
Sel et poivre du moulin
½ t. de fromage de chèvre, en cubes

1 filet d'huile d'olive
Jus de ½ citron
1 c. à soupe de ciboulette, ciselée

PRÉPARATION : Dans un bol, déposer les betteraves. Assaisonner de sel et de poivre. Réserver. Dans un autre bol, placer les cubes de fromage de chèvre et arroser d'huile d'olive. Ajouter à la première préparation. Incorporer le jus de citron et la ciboulette. Conserver 5 à 10 minutes au frais.

 Servir la macédoine sur des biscuits soda ou dans des cuillères chinoises.

BEURRE

20 min

Crème au fromage bleu et noix de Grenoble

½ t. de fromage bleu
½ t. de beurre, à
température ambiante

Sel et poivre du moulin
2 endives, effeuillées
¼ t. de noix de Grenoble

PRÉPARATION : Dans un petit bol, déposer le fromage bleu. Écraser à l'aide d'une fourchette. Ajouter le beurre et assaisonner de sel et de poivre. Bien mélanger jusqu'à l'obtention d'une pommade. Placer dans une poche à douille et façonner de petites quenelles à l'aide de deux cuillères. Déposer un peu de préparation au creux de chaque feuille d'endive. Garnir de noix de Grenoble.

Pour un coup d'éclat, disposer les feuilles d'endive en rosace sur un grand plateau de service.

AUTRES RECETTES :
- Beurre d'épices (page 50)
- Blé d'inde au beurre à l'ail (page 69)
- Huîtres au beurre d'échalote gratinées (page 62)
- Pétoncles au beurre de citronnade (page 38)
- Roses de saumon fumé et beurre aux câpres sur blinis (page 25)

BEURRE D'ARACHIDE

25 min

Cubes de saumon sauce aux arachides

3 c. à soupe de beurre
d'arachide
Sel et poivre du moulin
Quelques gouttes d'eau
1 c. à soupe de sauce soya

2 c. à soupe de vinaigre de
vin blanc
1 gousse d'ail, hachée
1 t. de saumon, en cubes

PRÉPARATION : Dans un bol, déposer le beurre d'arachide. Assaisonner de sel et de poivre. Verser l'eau, la sauce soya, le vinaigre de vin blanc et l'ail. Bien mélanger à l'aide d'un fouet. Dans une poêle antiadhésive, saisir rapidement les cubes de saumon. Napper avec la sauce aux arachides pour terminer la cuisson.

Présenter les bouchées de saumon dans des cuillères chinoises.

BLINIS

Roses de saumon fumé et beurre aux câpres sur blinis

15 min

2 c. à soupe de câpres, hachées
2 c. à soupe de beurre en pommade
Sel et poivre du moulin

3 à 4 belles tranches de saumon fumé
12 à 20 miniblinis
Quelques feuilles de persil

PRÉPARATION : Dans un petit bol, déposer les câpres et le beurre. Mixer. Assaisonner de sel et de poivre. Poser les tranches de saumon fumé sur le plan de travail et étaler du beurre aux câpres sur chacune. Enrouler les tranches de saumon fumé en boudin, puis les trancher en fines rondelles. Poser les roses de saumon sur les miniblinis. Servir à température ambiante avec quelques feuilles de persil.

 Les blinis se consomment chauds ou froids, sucrés ou salés, et servent à confectionner un grand nombre de petites bouchées.

BŒUF (BAVETTE)

Roulés de bavette au balsamique et roquette

8 à 12 fines tranches de bavette
1 filet d'huile d'olive
Sel et poivre du moulin
¼ t. de parmesan, en copeaux

½ t. de feuilles de roquette
2 c. à soupe de caramel de balsamique (vinaigre balsamique réduit)

20 min

PRÉPARATION : Dans une poêle, saisir les tranches de bavette dans l'huile d'olive. Assaisonner de sel et de poivre. Enrouler les tranches de viande et quelques copeaux de parmesan de feuilles de roquette. Piquer chaque rouleau sur une fourchette. Verser quelques gouttes de caramel de balsamique sur chacun des rouleaux.

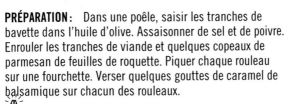 *Présenter les roulés de bavette sur une planche de bois et servir.*

AUTRE RECETTE :
• Bœuf à la confiture d'oignon et au vin rouge (page 26)

BŒUF (FILET MIGNON)

35 min

Bœuf à la confiture d'oignon et au vin rouge

1 filet mignon d'environ 225 g (8 oz), en cubes
2 filets d'huile d'olive
Sel et poivre du moulin

1 oignon jaune, émincé
½ t. de sucre
1 t. de vin rouge

PRÉPARATION: Dans une poêle, saisir les cubes de bœuf dans l'huile d'olive. Assaisonner de sel et de poivre. Dans une grande casserole, faire revenir l'oignon dans l'huile d'olive jusqu'à légère coloration. Ajouter le sucre et bien mélanger. Verser le vin rouge et terminer la cuisson de la confiture d'oignon au vin rouge.

Sur des petites tranches de pain grillé, déposer un peu de confiture d'oignon et un cube de filet mignon. Servir.

AUTRES RECETTES:
- Cannellonis de rôti de bœuf en confiture aigre-douce (page 40)
- Roulés de bavette au balsamique et roquette (page 25)

BOK CHOY

25 min

Crevettes au sésame et bok choy

3 bok choy, émincés
2 filets d'huile d'olive
Eau
1 t. de crevettes, décortiquées
1 gousse d'ail, hachée

Quelques gouttes de sauce soya
2 c. à soupe de miel
2 c. à soupe de vinaigre
2 c. à soupe de sésame
Sel et poivre du moulin

PRÉPARATION: Dans une grande poêle, faire revenir les bok choy dans un filet d'huile d'olive. Ajouter un peu d'eau afin d'éviter la coloration. Dans une poêle, faire revenir les crevettes et l'ail dans un filet d'huile d'olive. Déglacer avec la sauce soya et le miel. Ajouter le vinaigre et les graines de sésame. Verser la préparation de crevettes dans celle de bok choy. Assaisonner de sel et de poivre. Bien mélanger.

Servir la préparation dans des minibols asiatiques. Déguster la bouchée avec des baguettes chinoises.

BOUDIN

Papillotes de boudin aux pommes

25 min

1 t. de boudin noir, sans peau, en rondelles
2 noix de beurre
1 échalote française, ciselée

1 pomme Golden, en dés
Sel et poivre du moulin
½ rouleau de pâte phyllo

PRÉPARATION: Dans un poêle, cuire le boudin dans une noix de beurre. Dans une autre poêle, cuire l'échalote et la pomme dans une noix de beurre. Mélanger les deux préparations. Assaisonner de sel et de poivre. Déposer la pâte phyllo sur un plan de travail. Couper en carrés de 5 x 5 cm. Placer une cuillerée de boudin aux pommes sur chaque carré de pâte. Refermer la pâte en papillote. Déposer sur une plaque de cuisson. Cuire au four 10 minutes à 180 ºC/350 ºF.

Servir chaud. Cette préparation peut aussi être utilisée pour farcir des pommes que l'on cuira au four avant de servir.

AUTRE RECETTE:
• Pain d'épices au boudin (page 80)

BOUILLON DE POULET

Shooters de pot-au-feu

25 min

½ t. de blancs de poulet cuits, en dés
1 filet d'huile d'olive
3 c. à soupe de carottes, en brunoise
3 c. à soupe de céleri, en brunoise

1 c. à soupe de poireau, émincé
3 c. à soupe de pommes de terre, en brunoise
2 t. de bouillon de poulet
Sel et poivre du moulin

PRÉPARATION: Dans une poêle, colorer le poulet dans l'huile d'olive. Ajouter les légumes. Bien mélanger. Retirer à coloration. Dans une casserole, verser le bouillon de poulet. Assaisonner de sel et de poivre. Déposer le mélange de poulet et de légumes dans la casserole. Laisser mijoter 10 à 15 minutes à feu doux.

Verser le pot-au-feu dans des verres à shooter et servir.

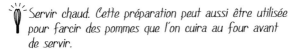

30 min

BROCOLI

Cappuccino de brocoli et mousse de chèvre

2 t. de brocoli, en bouquets	Sel et poivre du moulin
1 t. de lait	¼ t. de fromage de chèvre,
1 t. de crème 35 %	émietté
1 noix de beurre	1 pincée de paprika

PRÉPARATION : Dans une casserole d'eau bouillante salée, plonger les bouquets de brocoli pendant 1 minute. Retirer et égoutter. Dans une casserole, verser la moitié du lait et de la crème. Y plonger les bouquets de brocoli et le beurre. Laisser mijoter jusqu'à cuisson complète. Assaisonner de sel et de poivre. Mixer jusqu'à l'obtention d'un velouté bien lisse. Dans une autre casserole, déposer le fromage de chèvre ainsi que le lait et la crème restants. Porter à ébullition. Brasser vigoureusement à l'aide d'un fouet jusqu'à l'obtention d'une mousse. Assaisonner de sel et de poivre.

Remplir des verres à shooter au 3/4 avec la crème de brocoli. Verser la mousse de chèvre sur le dessus. Saupoudrer de paprika.

15 min

CALMAR

Anneaux de calmar frits

2 t. d'anneaux de calmar	Huile végétale
1 t. de lait	Sel et poivre du moulin
1 ½ t. de farine	1 citron, en quartiers

PRÉPARATION : Dans un bol à mélanger, déposer les anneaux de calmar. Verser le lait sur le dessus. Laisser reposer 10 à 15 minutes au frais. Placer la farine dans une assiette. Égoutter les anneaux de calmar et les passer dans la farine. Dans une grande casserole, faire chauffer l'huile végétale. Une fois celle-ci bien chaude, y frire les anneaux de calmar jusqu'à coloration. Retirer et égoutter en déposant sur du papier absorbant. Assaisonner de sel et de poivre.

Servir bien chauds et croustillants dans un plat de service accompagnés de quartiers de citron.

CAMEMBERT

Camembert aux fruits cuit au four pour trempette

1 boîte de camembert
(boîte en bois)
½ t. de poires, en dés
¼ t. de framboises

1 filet de sirop d'érable
¼ t. d'amandes, grillées
Biscottes au choix

20 min

PRÉPARATION: Retirer le camembert de la boîte et enlever l'emballage. Replacer le fromage dans la partie inférieure de la boîte. Dans un bol, déposer les poires et les framboises. Verser sirop d'érable et remuer délicatement. Placer la préparation de fruits sur la surface du fromage, puis parsemer d'amandes. Déposer sur une plaque de cuisson. Cuire au four 10 minutes à 180 °C/350 °F.

 La boîte peut être déposée sur une assiette de service avec des biscottes placées tout autour.

CANARD (CUISSE CONFITE)

Rouleaux impériaux de canard confit

1 à 2 cuisses de canard
confit, sans peau,
effilochées
½ t. de courgettes, en
rondelles
½ t. de tomates, en dés
2 filets d'huile d'olive
Sel et poivre du moulin

1 pincée d'herbes de
Provence
6 à 9 feuilles de riz
¼ t. de miel
6 c. à soupe de vinaigre de
vin rouge
3 c. à soupe de sauce soya

30 min

PRÉPARATION: Dans une casserole, chauffer la chair de confit à feu doux. Dans une poêle, faire revenir les courgettes et les tomates dans un filet d'huile d'olive. Assaisonner de sel et de poivre. Parfumer avec des herbes de Provence. À coloration, ajouter la viande. Dans un bol d'eau froide, tremper les feuilles de riz. Retirer et égoutter sur un linge propre. Placer une portion de préparation au centre de chacune des feuilles de riz. Plier les extrémités et refermer en roulant. Dans une poêle, faire colorer les rouleaux impériaux dans un filet d'huile d'olive. Dans un bol, déposer le miel, le vinaigre de vin rouge et la sauce soya. Bien remuer.

Verser la sauce dans un petit bol et disposer les rouleaux tout autour.

AUTRE RECETTE :
• Tronçons de magret sauce porto (page 30)

CANARD (MAGRET)

Tronçons de magret sauce porto

25 min

1 magret de canard avec la peau, en tronçons
Sel et poivre du moulin

½ t. de porto
¾ t. de crème 35 %

PRÉPARATION : Dans une poêle, déposer les pièces de viande côté peau dessous. Retourner dès coloration. Assaisonner de sel et de poivre. Déglacer avec le porto, puis verser la crème. Retirer la viande et laisser réduire la sauce.

Servir les tronçons de magret de canard dans des cuillères chinoises et les napper de sauce au porto.

AUTRES RECETTES :
• Rouleaux impériaux de canard confit (page 29)
• Tartare de canard aux feuilles de roquette (page 99)

CANNEBERGE

Brisures de poulet aux canneberges

30 min

1 cuisse de poulet cuit, peau retirée, désossée
Jus de 1 citron
Sel et poivre du moulin
$1/3$ t. de mayonnaise

Quelques gouttes de vinaigre blanc
¾ t. de canneberges séchées, hachées

PRÉPARATION : Placer la viande dans un mixeur. Verser le jus du citron. Assaisonner de sel et de poivre. Ajouter la mayonnaise et le vinaigre. Mixer jusqu'à l'obtention d'un mélange homogène. Ajouter les canneberges et mixer. Réserver au frais.

Tartiner des tranches de baguettes grillées avec la préparation et servir.

CÂPRES

Œufs de caille mimosa aux câpres

1 t. d'œufs de caille frais
¼ t. de vinaigre blanc
1/3 t. de mayonnaise

3 c. à soupe de câpres, hachées
Sel et poivre du moulin

30 min

PRÉPARATION : Dans une casserole d'eau bouillante, placer les œufs de caille et verser le vinaigre blanc. Cuire 5 à 6 minutes. Retirer les œufs et les plonger dans un bol d'eau glacée afin de pouvoir retirer plus facilement les coquilles. Placer les œufs cuits dans une assiette et les diviser en deux dans le sens de la longueur. Retirer les jaunes d'œufs et les écraser à l'aide d'une fourchette. Dans un bol, déposer la mayonnaise, les jaunes d'œufs et les câpres. Assaisonner de sel et de poivre. Bien mélanger. Conserver au frais.

farcir les blancs d'œufs de caille avec la préparation à l'aide d'une poche à douille. Servir les œufs dans des cuillères à thé.

AUTRES RECETTES :
- Chair de raie aux câpres (page 97)
- Roses de saumon fumé et beurre aux câpres sur blinis (page 25)

CAROTTE

Rondelles de carottes crues au fromage à la crème

½ t. de fromage à la crème
2 gousses d'ail, hachées
Sel et poivre du moulin
2 c. à soupe d'aneth, haché

2 à 3 grosses carottes, pelées, en rondelles de 1 cm

15 min

PRÉPARATION : Dans un bol, déposer le fromage à la crème et l'ail. Assaisonner de sel et de poivre. Bien mélanger. Ajouter l'aneth. Placer la préparation dans une poche à douille. Déposer une portion de fromage à la crème parfumé sur chaque rondelle de carotte.

Servir dans un grand plat à crudités et décorer le fromage à la crème avec quelques pluches d'aneth.

CAVIAR DE HARENG

Crème de chou-fleur au caviar de hareng

25 min

2 t. de chou-fleur,
en bouquets
½ t. de lait
1 t. de crème 35 %
Sel et poivre du moulin

1 pincée de piment en
poudre
1 c. à soupe de caviar de
hareng

PRÉPARATION : Dans une casserole d'eau bouillante, plonger le chou-fleur quelques secondes. Retirer et égoutter. Dans une casserole, remettre le chou-fleur à cuire avec le lait et la crème. Laisser mijoter jusqu'à cuisson complète. Mixer jusqu'à l'obtention d'une préparation crémeuse. Assaisonner de sel et de poivre. Laisser refroidir au frais.

Verser dans des verres à shooter. Saupoudrer de piment en poudre et garnir de caviar de hareng.

CÉLERI

Bâtonnets de céleri en tapenade

20 min

5 branches de céleri avec
les feuilles
1 t. d'olives noires,
dénoyautées

1 filet d'huile d'olive
Sel et poivre du moulin

PRÉPARATION : Couper les branches de céleri en tronçons de 4 à 5 cm de longueur. Réserver les feuilles. Dans un bol, déposer les olives noires et l'huile d'olive. Assaisonner de sel et de poivre. Remuer. Farcir le creux des bâtonnets de tapenade d'olives.

Servir très frais et terminer en déposant quelques brisures de feuilles de céleri sur la tapenade.

AUTRE RECETTE :
• Panna cotta de céleri dans une pomme verte (page 33)

CÉLERI-RAVE

nna cotta de céleri dans une pomme verte

30 min

1 ½ bulbe de céleri-rave, en morceaux
2 t. de crème 35 %

4 feuilles de gélatine
Sel et poivre du moulin
2 pommes vertes

PRÉPARATION : Dans une casserole d'eau bouillante salée, cuire le céleri-rave. Dans une casserole, verser la crème et ajouter les morceaux de céleri-rave. Mixer la préparation. Tremper les feuilles de gélatine dans l'eau selon les instructions du fabricant. Assaisonner de sel et de poivre. Couper le dessus des pommes vertes pour confectionner des chapeaux. Évider les pommes. Farcir les pommes vertes de panna cotta. Laisser prendre au frais.

Servir bien frais en présentant les pommes avec les couvercles refermés. Mettre à la disposition des convives quelques petites cuillères à thé pour la dégustation.

AUTRE RECETTE :
• Bâtonnets de céleri en tapenade (page 32)

CERF (FILET)

Tartare de cerf au caramel de balsamique

25 min

1 t. de filets de cerf, en dés
1 échalote française, finement ciselée
1 c. à soupe de ciboulette, ciselée
1 c. à soupe de parmesan, en brisures

1 filet d'huile d'olive
2 c. à soupe de caramel de balsamique (vinaigre balsamique réduit)
Sel et poivre du moulin

PRÉPARATION : Dans un bol, déposer le cerf, l'échalote, la ciboulette et le parmesan. Verser l'huile d'olive et le caramel de balsamique. Assaisonner de sel et de poivre. Mélanger la préparation et conserver 10 à 15 minutes au frais.

Servir le tartare de cerf sur des tranches de pain grillé.

CHAMPIGNON DE PARIS

Champignons au chèvr
frais comme un bouchon

15 min

2 t. de champignons de
    Paris, queues retirées
2 filets d'huile d'olive

¾ t. de chèvre, émietté
½ c. à thé d'origan
Sel et poivre du moulin

PRÉPARATION : Essuyer les champignons et les placer sur une plaque à cuisson. Verser 1 filet d'huile d'olive sur les champignons. Assaisonner de sel et de poivre. Dans un bol, déposer le fromage de chèvre et l'origan. Incorporer un filet d'huile d'olive. Assaisonner de sel et de poivre. Remuer la préparation et en farcir les champignons. Déposer sur une plaque de cuisson. Cuire au four 10 minutes à 180 °C/350 °F.

Servir bien chaud sur une planche de bois.

AUTRE RECETTE :
• Bonbons de laitue à la purée de champignon (page 65)

CHAPELURE

Pogos de cheddar

15 min

2 œufs
Quelques gouttes d'eau
1 bloc de cheddar
    d'environ 180 g (6 oz),
    en bâtonnets

1 t. de chapelure
Huile végétale

PRÉPARATION : Dans un bol, déposer les œufs. Ajouter l'eau et remuer à l'aide d'une fourchette. Déposer la chapelure sur une assiette. Tremper les bâtonnets de cheddar dans la préparation d'œufs, puis rouler dans la chapelure. Plonger dans le bain d'huile bien chaude. Cuire jusqu'à coloration. Retirer et égoutter sur du papier absorbant.

Piquer les bâtonnets de cheddar avec des bâtons à café façon pogos. Servir sur une planche de bois.

CHEDDAR

Apéricubes au paprika et cumin

10 min

1 t. de cheddar, en cubes de 1 à 2 cm
1 c. à thé de paprika

1 c. à thé de cumin
Sel et poivre du moulin

PRÉPARATION : Dans un bol, déposer les cubes de cheddar et les saupoudrer de paprika et de cumin. Assaisonner de sel et de poivre. Mélanger de manière à bien enrober les cubes de cheddar.

 Servir les apéricubes piqués de cure-dents sur une planche de bois.

AUTRES RECETTES :
- Bâtonnets de cheddar au chutney de fruits secs (page 57)
- Cheddar laqué au balsamique (page 114)
- Pogos de cheddar (page 34)

CHORIZO

Chorizo aux oignons et vin blanc

15 min

1 ½ t. de chorizo, en rondelles
1 filet d'huile d'olive
½ t. d'oignon blanc, émincé

¼ t. de vin blanc
Sel et poivre du moulin
Miche de pain, évidée

PRÉPARATION : Dans une poêle, faire revenir le chorizo dans l'huile d'olive. Retirer le chorizo et réserver. Dans la même poêle, faire revenir l'oignon. Une fois l'oignon cuit, rajouter les rondelles de chorizo. Mélanger et déglacer avec le vin blanc. Assaisonner de sel et de poivre.

 Placer la préparation dans la miche de pain évidée. Servir au centre de la table, accompagné de four- chettes pour la dégustation.

AUTRES RECETTES :
- Salade de gourganes au chorizo (page 58)
- Sauté de pois cassés au chorizo (page 89)

CHOU DE BRUXELLES

Salade de feuilles de chou aux amandes

20 min

1 filet d'huile d'olive
¾ t. d'amandes grillées, sans peau
1 pincée de fleur de sel
3 t. de choux de Bruxelles, effeuillés

Sel et poivre du moulin
4 c. à soupe de vin blanc
3 c. à soupe de vinaigre de vin blanc

PRÉPARATION : Dans une poêle, faire revenir les amandes dans l'huile d'olive. Ajouter la fleur de sel. Remuer. Retirer les amandes. Dans la même poêle et sans matière grasse ajoutée, faire sauter les feuilles de chou très rapidement. Assaisonner de sel et de poivre. Déglacer avec le vin blanc et le vinaigre de vin blanc. Retirer et bien mélanger. Laisser reposer au frais jusqu'au moment de servir.

Servir la salade dans des coupelles.

CHOU-FLEUR

Graines de chou-fleur citronnées

15 min

2 t. de chou-fleur, râpé (pour donner l'apparence d'une semoule)
1 filet d'huile d'olive

Jus de ½ citron
Sel et poivre du moulin
1 c. à soupe de ciboulette, ciselée

PRÉPARATION : Dans un bol, déposer le chou-fleur verser l'huile d'olive et le jus de citron. Assaisonner de sel et de poivre. Ajouter la ciboulette. Bien remuer. Conserver au frais 10 à 15 minutes.

Déposer les graines de chou-fleur dans des cuillères à soupe. Servir.

AUTRES RECETTES :
- Crème de chou-fleur au caviar de hareng (page 32)
- Mousseline de chou-fleur aux œufs de poisson (page 77)

CHOU-RAVE

Julienne de chou-rave au curry

2 t. de chou-rave, râpé
¼ t. de vin blanc
Sel et poivre du moulin

¹/₃ t. de crème 35 %
½ c. à thé de curry

25 min

PRÉPARATION : Dans une casserole d'eau bouillante salée, plonger le chou-rave quelques secondes. Retirer et égoutter. Dans une poêle, verser le vin blanc. Assaisonner de sel et de poivre. Porter à ébullition et ajouter la crème. Incorporer le curry. Remuer. Laisser mijoter 10 à 15 minutes à feu doux. À l'obtention d'une sauce onctueuse, déposer le chou-rave et bien mélanger.

 Servir la préparation dans des coupelles ou dans le creux de feuilles d'endives.

CIBOULETTE

Sauce apéritive pour légumes crus

½ t. de yogourt nature
2 gousses d'ail, hachées
1 échalote française, ciselée
1 c. à soupe de jus de citron

Quelques gouttes de
    vinaigre de vin rouge
Sel et poivre du moulin
¾ t. de ciboulette, ciselée
1 gros oignon

15 min

PRÉPARATION : Dans un bol, déposer le yogourt et l'ail. Incorporer l'échalote, puis verser le jus de citron et le vinaigre de vin rouge. Assaisonner de sel et de poivre. Ajouter la ciboulette. Bien mélanger. Conserver la préparation au froid jusqu'au moment de servir.

Découper le dessus de l'oignon et l'évider. Remplir de sauce apéritive. Servir avec un mélange de légumes crus à tremper.

CITRON

20 min

Pétoncles au beurre de citronnade

1 t. de petits pétoncles
1 filet d'huile d'olive
2 noix de beurre

Sel et poivre du moulin
Jus de 1 citron
Quelques pluches d'aneth

PRÉPARATION : Dans une poêle, faire colorer les pétoncles dans l'huile d'olive et une noix de beurre. Assaisonner de sel et de poivre. Déglacer avec le jus de citron. Incorporer une noix de beurre et laisser mijoter à feu doux. Retirer du feu lorsque la sauce citronnade atteint une texture onctueuse.

 Verser la préparation dans les coquilles de pétoncles vides. Servir bien chaud et décorer avec de l'aneth.

AUTRES RECETTES :
- Ailes de poulet miel, moutarde et citron (page 94)
- Doré aux amandes et jus de citron (page 48)
- Petits cordons-bleus citronnés (page 95)
- Perles de balsamique à l'huile d'olive citronnée (page 61)
- Rince-bouche (page 106)

CITROUILLE

Frites de citrouille au sésame

Huile végétale
3 t. de chair de citrouille,
   en bâtonnets
2 c. à soupe d'huile de
   sésame

Sel et poivre du moulin
½ t. de graines de sésame
   blanc et noir

PRÉPARATION : Dans une grande casserole, mettre l'huile végétale à chauffer. Y plonger les bâtonnets de citrouille. Cuire, retirer et égoutter sur du papier absorbant. Arroser d'un léger filet d'huile de sésame. Assaisonner de sel et de poivre. Parsemer de graines de sésame.

 Servir bien chaudes dans des cornets de papier confectionnés à la main.

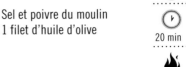

COBIA

Brochettes de cobia sur tiges de romarin

2 t. de cobia, en cubes de
    2 cm
6 à 8 branches de romarin,
    coupées en 2

Sel et poivre du moulin
1 filet d'huile d'olive

PRÉPARATION : Embrocher les cubes de poisson sur les branches de romarin. Déposer sur une plaque de cuisson. Assaisonner de sel et de poivre. Arroser d'huile d'olive. Cuire au four 3 à 5 minutes à 180 ºC/350 ºF.

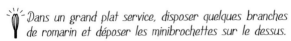

Dans un grand plat service, disposer quelques branches de romarin et déposer les minibrochettes sur le dessus.

20 min

CŒUR DE PALMIER

Cœurs de palmier aux éclats de grenade

1 t. de cœurs de palmier,
    en rondelles
1 filet d'huile d'olive
Sel et poivre du moulin
1 c. à soupe de vinaigre de
    framboise

Quelques gouttes de jus
    de citron
¼ t. de grains de grenade

PRÉPARATION : Dans un bol, déposer les cœurs de palmier et arroser d'huile d'olive. Assaisonner de sel et de poivre. Ajouter le vinaigre de framboise et le jus de citron. Bien remuer. Incorporer les grains de grenade. Mélanger et conserver au frais.

Servir la salade très colorée dans des verrines.

15 min

CONCENTRÉ DE BŒUF

Bourguignon instantané

¾ t. de bœuf, en dés
1 filet d'huile d'olive
½ t. de carottes, en brunoise
¼ t. d'oignon, ciselé

Sel et poivre du moulin
²/₃ t. de vin rouge
1 branche de thym
1 t. de bouillon de bœuf

25 min

PRÉPARATION: Dans un sautoir, faire revenir les dés de bœuf dans l'huile d'olive jusqu'à coloration. Ajouter les carottes et l'oignon. Assaisonner de sel et de poivre. Déglacer avec le vin rouge. Ajouter le thym et laisser mijoter quelques minutes. Verser le bouillon de bœuf et cuire 10 à 15 minutes. Rectifier l'assaisonnement.

Cette préparation peut être déposée dans des légumes cuits et évidés tels que des oignons cipollini ou des pommes de terre grelots.

CONCOMBRE

Tagliatelles de concombre

1 concombre anglais
1 filet d'huile d'olive

Quelques gouttes de jus de citron
Sel et poivre du moulin

10 min

PRÉPARATION: À l'aide d'un économe, peler de fines tranches de concombre dans le sens de la longueur (pelure comprise). Dans un bol, déposer les tagliatelles de concombre et verser l'huile d'olive et le jus de citron. Assaisonner de sel et de poivre. Mélanger délicatement et conserver au frais.

Rouler les tagliatelles de concombre et piquer chaque rouleau sur une fourchette.

AUTRES RECETTES:
• Œufs de caille pochés sur concombre (page 76)
• Taboulé au concombre (page 104)

CONFITURE (AIGRE-DOUCE)

Cannellonis de rôti de bœuf en confiture aigre-douce

15 min

¼ t. de salade mesclun, hachée finement
1 filet d'huile d'olive
Sel et poivre du moulin
1 c. à soupe de confiture, au choix

2 c. à soupe de vinaigre de vin rouge
6 à 8 fines tranches de rôti de bœuf cuit

PARATION: Dans un petit bol, placer le mesclun. Ajou-
l'huile d'olive et assaisonner de sel et de poivre. Dans
e tasse, verser la confiture et le vinaire de vin rouge. Bien
emuer. Placer les tranches de rôti de bœuf sur un plan de
travail. Napper chaque tranche de préparation de confiture. Parsemer de mesclun hachée et rouler la viande pour
former des rouleaux. Piquer avec des piques à brochettes
pour refermer. Conserver au frais.

Servir bien frais sur une assiette de service.

CORIANDRE

Frittatas à la coriandre

10 œufs frais
6 c. à soupe de crème 35 %
Sel et poivre du moulin
3 c. à soupe de coriandre,
    hachée

1 échalote française, ciselée
½ t. de gruyère, râpé
1 filet d'huile d'olive

20 min

PRÉPARATION: Dans un bol, casser les œufs. Ajouter la
crème. Assaisonner de sel et de poivre. Incorporer la coriandre, l'échalote et le gruyère. Battre à l'aide d'un fouet.
Huiler des petits ramequins. Verser une part de préparation
dans chacun. Cuire au four 8 à 10 minutes à 180 °C/350 °F.

*Présenter les frittatas bien chauds déposés sur
quelques feuilles de coriandre.*

AUTRE RECETTE:
• Salade de vermicelles à la coriandre (page 113)

CORNICHON

Croquettes aux cornichons

1 t. de purée de pomme
    de terre
1 c. à soupe de parmesan
    en poudre
Sel et poivre du moulin

½ t. de cornichons salés,
    hachés
1 œuf
Huile végétale

25 min

PRÉPARATION: Dans un bol, déposer la purée de pomme
de terre et le parmesan. Assaisonner de sel et de poivre.
Incorporer les cornichons et l'œuf. Bien mélanger. Confectionner de petites quenelles à l'aide de deux cuillères à thé.

Placer les quenelles 10 à 15 minutes au frais. Dans un b[...]
d'huile bien chaude, plonger les croquettes jusqu'à colora[...]
tion. Retirer et égoutter sur du papier absorbant.

Servir chaud. Placer un bol de cornichons salés à proximité pour compléter la bouchée.

CORVINA

Brandade de corvina

½ t. de crème 35 %
5 gousses d'ail, hachées
   grossièrement
1 t. de corvina, en morceaux
1 t. de purée de pomme
   de terre

1 filet d'huile d'olive
Sel et poivre du moulin
1 c. à soupe de persil, haché

20 min

PRÉPARATION : Dans une casserole, porter la crème à ébullition. Incorporer l'ail. Dans une casserole d'eau bouillante salée, pocher le corvina. Retirer et égoutter. Dans une casserole, déposer la purée de pomme de terre et verser l'huile d'olive. Assaisonner de sel et de poivre. Incorporer le poisson cuit et arroser du mélange de crème. Remuer sur le feu à l'aide d'une spatule de bois. À la toute fin, ajouter le persil et mélanger.

Servir la brandade dans des cuillères. On peut aussi placer la brandade dans de petits ramequins et passer sous le gril du four pendant quelques minutes avant de servir.

COURGE MUSQUÉE

Crème de courge musquée aux moules marinières

1 t. de courge musquée, en
   morceaux
1 t. de lait
½ t. de crème 35 %
Sel et poivre du moulin

2 t. de moules
1 échalote française, ciselée
1 t. de vin blanc

35 min

PRÉPARATION : Dans une casserole d'eau bouillante salée, plonger et faire cuire quelques minutes les morceaux de courge musquée. Retirer et égoutter. Dans une autre casserole, verser le lait et la crème. Porter à ébullition.

Terminer la cuisson de la courge dans la crème. Assaisonner de sel et de poivre. Mixer la crème de courge une fois bien cuite jusqu'à l'obtention d'une préparation crémeuse. Dans un sautoir, déposer les moules avec l'échalote ciselée et arroser de vin blanc. Cuire à feu vif jusqu'à l'ouverture des coquilles. Retirer les moules et réserver. Filtrer le jus de cuisson et l'ajouter à la crème de courge musquée. Rectifier l'assaisonnement.

 Déposer les moules retirées de leurs coquilles au fond de verres à shooter puis remplir les verres au 3/4 avec la crème de courge parfumée au jus de cuisson. Servir bien chaud.

COURGETTE

Pain aux courgettes

45 min

1 courgette, en dés	2 œufs
2 filets d'huile d'olive	2 c. à soupe de lait
1 échalote française, ciselée	1 t. de gruyère, râpé
1 gousse d'ail, hachée	1 t. de farine
Sel et poivre du moulin	2 c. à thé de poudre à pâte

PRÉPARATION : Dans une poêle, faire revenir la courgette dans un filet d'huile d'olive. Incorporer l'échalote et l'ail. Retirer avant coloration. Assaisonner de sel et de poivre. Dans un bol, déposer les œufs, le lait et un filet d'huile d'olive. Battre énergiquement à l'aide d'un fouet. Ajouter le gruyère, la farine et la poudre à pâte. Compléter la cuisson des légumes. Verser dans la préparation de farine. Rectifier l'assaisonnement. Beurrer un moule à pain. Verser la préparation dans le moule. Pour obtenir des minipains, utiliser un moule à muffins. Cuire au four 30 à 40 minutes à 180 °C/350 °F.

Diviser en tranches et servir.

CRABE

Crab cakes à l'aïoli

45 min

¾ t. de chair de crabe
2 c. à soupe de mayonnaise
½ c. à soupe de moutarde
2 c. à soupe de ciboulette, ciselée
1 gousse d'ail, finement hachée

1 c. à soupe de persil, haché
Sel et poivre du moulin
Quelques gouttes de sauce Tabasco
1 t. de purée de pommes de terre
Huile végétale

PRÉPARATION : Dans un bol, déposer la chair de crabe, la mayonnaise et la moutarde. Incorporer la ciboulette, l'ail et le persil. Assaisonner de sel et de poivre. Parfumer avec la sauce Tabasco. Ajouter la purée de pomme de terre et mélanger. Confectionner des petites galettes en pressant la préparation avec les deux mains. Laisser reposer 30 à 45 minutes au frais. Dans une poêle, faire colorer les crab cakes dans l'huile végétale. Servir bien chaud.

 Confectionner un aïoli et déposer sur les crab cakes avant de servir.

CRÈME 15 %

Crème de maïs soufflé

20 min

1 noix de beurre
½ t. de maïs à éclater

2 t. de crème 15 %
Sel et poivre du moulin

PRÉPARATION : Dans une grande casserole, déposer une noix de beurre et le maïs à éclater. Couvrir. Une fois les grains éclatés, retirer ¼ du volume du maïs soufflé et verser la crème sur le reste du maïs dans la casserole. Porter à ébullition. Assaisonner de sel et de poivre. Mixer la préparation et la passer au chinois afin d'éliminer les résidus de grains de maïs. Rectifier l'assaisonnement. Laisser refroidir au frais.

Servir la crème dans des verres à shooter et déposer en surface le maïs soufflé réservé.

30 min

CRÈME 35%

Panna cotta au bacon

1 échalote française, ciselée
¾ t. de bacon, émincé
   finement
1 filet d'huile d'olive

2 t. de crème 35 %
Sel et poivre du moulin
4 feuilles de gélatine

PRÉPARATION : Dans une poêle, faire revenir l'échalote et le bacon dans l'huile d'olive. Retirer ¼ de la préparation et réserver. Verser la crème et laisser mijoter environ 10 à 15 minutes à feu doux. Mixer la préparation. Assaisonner de sel et de poivre. Tremper les feuilles de gélatine dans l'eau selon les instructions du fabricant et ajouter à la préparation crémeuse. Fouetter énergiquement à l'aide d'un fouet. Verser dans des verres à shooter. Laisser prendre au frais.

Au moment de servir, déposer sur la surface des panna cotta le mélange de bacon et d'échalote réservé. Servir avec des petites cuillères.

15 min

CRÈME SURE

Trempette verte surette

1 t. de chair d'avocat
2 c. à soupe de jus de citron
Sel et poivre du moulin
Quelques gouttes de sauce
   Tabasco

¹/₃ t. de feuilles de basilic,
   hachées
1 filet d'huile d'olive
½ t. de crème sure

PRÉPARATION : Dans un bol, déposer la chair d'avocat et le jus de citron. Assaisonner de sel et de poivre. Ajouter la sauce Tabasco et le basilic. Verser l'huile d'olive et mixer le tout. Ajouter la crème sure et mixer jusqu'à l'obtention d'une préparation lisse et homogène. Conserver la sauce au frais.

Remplir une coupelle avec la sauce à trempette verte surette. Présenter sur un plat de service avec tout autour des légumes crus ou des croustilles.

C

CRÊPE

Millefeuilles de crêpes au jambon

10 min

6 à 10 crêpes	6 à 10 tranches de jambon
¼ t. de mayonnaise	1 t. de tomates cerises

PRÉPARATION : Déposer les crêpes sur un plan de travail. Les tartiner de mayonnaise à l'aide d'une spatule. Poser les tranches de jambon sur le dessus. Monter les crêpes au jambon les unes sur les autres comme pour confectionner un gâteau. Découper en petits carrés. Déposer une tomate cerise sur chacun des carrés.

Piquer les carrés de bord en bord, en commençant par la tomate, avec des cure-dents. Placer les millefeuilles de crêpes au jambon sur un joli plat et servir.

CRETONS

Bonbons de cretons aux noix de Grenoble

10 min

¼ t. de cretons	1 t. de cerneaux de noix de
1 c. à soupe de ciboulette, ciselée	Grenoble

PRÉPARATION : Dans un petit bol, déposer les cretons et la ciboulette. Bien mélanger. Confectionner des petites boules de la taille d'une tomate cerise en roulant des portions de préparation dans le creux des mains. Placer un peu de préparation entre deux cerneaux de noix de Grenoble pour former des sandwichs.

Pour une touche d'originalité, servir sur un lit de noix.

CREVETTE

Crevettes au prosciutto

20 min

8 à 12 crevettes moyennes, décortiquées	Sel et poivre du moulin
1 filet d'huile d'olive	4 tranches de prosciutto
	6 branches de romarin

PRÉPARATION : Déposer les crevettes sur une assiette. Les arroser d'huile d'olive. Assaisonner de sel et de poivre. Diviser les tranches de prosciutto en 3 et enrouler chaque crevette avec une bande de jambon. Piquer les crevettes avec une demi-branche de romarin. Déposer sur une plaque de cuisson. Cuire au four 10 minutes à 180 °C/350 °F.

Servir les crevettes sur une planche de bois.

AUTRES RECETTES :
- Crevettes au sésame et bok choy (page 26)
- Crevette dans une feuille de riz (page 52)
- Salade de crevettes au curry en demi-coupes d'avocat (page 20)
- Salade de quinoa aux crevettes et feta (page 96)

DATTE

Dattes farcies au fromage bleu

15 min

½ t. de dattes
⅓ t. de fromage bleu
¼ t. de beurre

1 c. à soupe de noix de Grenoble, en morceaux

PRÉPARATION : À l'aide d'un couteau d'office, faire une incision sur une face de la datte afin de retirer le noyau. Dans un bol, déposer le fromage bleu et le beurre. Écraser à l'aide d'une fourchette jusqu'à l'obtention d'une préparation lisse. Ajouter les noix de Grenoble. Bien mélanger. Farcir les dattes avec le fromage bleu aux noix.

Servir accompagnées de quelques croustilles de pain grillé.

DINDE (CUBES)

Brochettes de dinde à la mangue

25 min

½ t. de dinde, en dés
Sel et poivre du moulin
1 filet d'huile d'olive
3 c. à soupe de jus d'orange

1 c. à soupe d'estragon, haché
1 mangue fraîche, en dés

PRÉPARATION : Dans un bol, déposer la dinde. Assaisonner de sel et de poivre. Verser l'huile d'olive et le jus d'orange. Ajouter l'estragon. Remuer et laisser reposer au frais 10 à 15 minutes. Disposer les cubes de dinde et de mangue sur des brochettes miniatures. Saisir les brochettes dans une poêle bien chaude ou sur le barbecue.

Suggestion de présentation : piquer les minibrochettes sur une belle mangue.

DORADE

Dorade sur croûtons aux tomates cerises et basilic

20 min

1 t. de dorade, en fines tranches	½ t. de feuilles de basilic, hachées
1 filet d'huile d'olive	Croûtons
Sel et poivre du moulin	Quelques gouttes de jus de citron
1 t. de tomates cerises, coupées en 2	

PRÉPARATION : Dans une poêle, faire revenir la dorade dans l'huile d'olive. Retirer. Assaisonner de sel et de poivre. Dans la même poêle, déposer les tomates cerises et le basilic. Remuer la préparation. Déposer une petite portion de préparation de tomates sur un croûton. Placer sur le dessus une fine tranche de dorade. Verser quelques gouttes de jus de citron au moment de servir les bouchées.

À noter que ces bouchées sont délicieuses chaudes ou froides.

DORÉ

Doré aux amandes et jus de citron

20 min

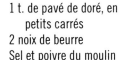

1 t. de pavé de doré, en petits carrés	¼ de t. d'amandes effilées
2 noix de beurre	¼ de t. de jus de citron
Sel et poivre du moulin	1 c. à soupe de ciboulette, ciselée

PRÉPARATION : Dans une poêle, cuire les minipavés de doré dans une noix de beurre. Assaisonner de sel et de poivre. Ajouter les amandes effilées. À coloration, déglacer

E

avec le jus de citron et ajouter le restant de beurre. Laisser mijoter à feu doux et incorporer la ciboulette.

Servir les bouchées dans des cuillères chinoises.

ÉCHALOTE

Échalotes au vinaigre comme un condiment

8 à 10 échalotes, pelées
1 filet d'huile d'olive
2 c. à soupe de sucre
1 branche de romarin
⅓ t. de vinaigre de vin blanc
1 t. de vin blanc

35 min

PRÉPARATION : Dans une grande casserole, faire colorer les échalotes entières dans l'huile d'olive. Ajouter le sucre et la branche de romarin. Bien remuer. Déglacer avec le vinaigre de vin blanc et le vin. Laisser mijoter jusqu'à cuisson complète des échalotes. Retirer et égoutter. Servir froid ou chaud.

Succulent pour accompagner vos charcuteries et fromages.

AUTRE RECETTE :
• Huîtres fraîches au vinaigre aux échalotes (page 114)

ENDIVE

Feuilles d'endive au jambon

¾ t. de jambon, en dés
¼ t. de tomates, concassées
3 c. à soupe de mayonnaise
1 c. à soupe de ciboulette, ciselée
Sel et poivre du moulin
1 pincée de piment en poudre
3 endives bien fermes, effeuillées

20 min

PRÉPARATION : Dans un bol, déposer le jambon, les tomates et la mayonnaise. Bien mélanger. Incorporer la ciboulette. Assaisonner de sel et de poivre. Ajouter le piment en poudre. Conserver au frais jusqu'au moment de servir.

Déposer une cuillerée de la préparation dans le creux de chacune des feuilles d'endive. Placer sur un joli plat de service.

ÉPICES DÉSHYDRATÉES

Beurre d'épices

10 min

¾ t. de beurre
¼ t. d'épices déshydratées,
    au choix
Sel et poivre du moulin

PRÉPARATION : Dans un bol, déposer le beurre. Laisser tiédir à température ambiante. Battre à l'aide d'une cuillère jusqu'à l'obtention d'une pommade. Incorporer les épices et assaisonner de sel et de poivre. Bien battre pour amalgamer les saveurs. Confectionner des petits rouleaux de beurre parfumé à l'aide de pellicule alimentaire.

Les beurres parfumés ajoutent beaucoup de saveur à vos tartinades.

ÉPINARD

Trempette aux épinards

15 min

¹⁄₃ t. de fromage à la crème
¼ t. de crème sure
¼ t. de mayonnaise
Sel et poivre du moulin

1 ½ t. d'épinards frais,
    émincés
1 échalote française, ciselée
Jus de 1 citron

PRÉPARATION : Dans un bol, déposer le fromage à la crème, la crème sure et la mayonnaise. Assaisonner de sel et de poivre. Incorporer les épinards et l'échalote. Arroser de jus de citron. Remuer. Conserver au frais.

Présenter la trempette aux épinards dans une petite miche de pain évidée. Disposer tout autour des légumes crus prêts à déguster.

AUTRE RECETTE :
- Triangles de chèvre aux épinards (page 51)

FENOUIL

Compotée de fenouil confit

1 bulbe de fenouil, haché
   finement
1 filet d'huile d'olive
¼ t. de vin blanc

½ t. de tomates,
   concassées
Sel et poivre du moulin

30 min

PRÉPARATION : Dans une grande casserole, faire revenir le fenouil dans l'huile d'olive jusqu'à coloration. Déglacer avec le vin blanc et incorporer les tomates. Assaisonner de sel et de poivre. Laisser mijoter jusqu'à l'obtention d'une compotée.

Servir la compotée de fenouil sur des biscottes ou des petites tranches de pain grillé. Garnir de quelques feuilles d'aneth ou de fenouil pour décorer.

AUTRE RECETTE :
• Tapenade de fenouil et bar rayé (page 22)

FEUILLE DE BRICK

Triangles de chèvre aux épinards

2 t. de feuilles d'épinards
2 échalotes françaises,
   ciselées
1 c. à soupe de beurre
Sel et poivre du moulin

Quelques gouttes de
   vin blanc
1 t. de fromage de chèvre,
   émietté
8 feuilles de brick, coupées
   en 4 pointes

35 min

PRÉPARATION : Dans une poêle, faire tomber et revenir les feuilles d'épinards et les échalotes dans le beurre. Assaisonner de sel et de poivre. Déglacer avec quelques gouttes de vin blanc. Incorporer le fromage de chèvre. Remuer. Déposer les pointes de brick sur un plan de travail. Disposer sur chacune une portion de chèvre aux épinards et plier pour refermer en triangle. Déposer sur une plaque de cuisson. Cuire au four 8 à 10 minutes à 180 °C/ 350 °F.

Présenter les triangles de chèvre déposés sur un lit de feuilles d'épinards frais.

FEUILLE DE RIZ

25 min

Crevette dans une feuille de riz

12 petites feuilles de riz
1 t. de carottes, râpées
1 t. de salade verte, ciselée
1 c. à thé de coriandre, hachée
1 c. à soupe de menthe, hachée

2 filets d'huile d'olive
5 c. à soupe de vinaigre de riz
Sel et poivre du moulin
12 à 24 crevettes moyennes, décortiquées, mi-cuites
½ t. de sauce hoisin

PRÉPARATION : Dans un grand bol d'eau froide, tremper les feuilles de riz une à une et les déposer individuellement sur un linge placé sur une surface de travail. Dans un bol, déposer les carottes, la salade, la coriandre et la menthe. Verser un filet d'huile d'olive et le vinaigre de riz. Assaisonner de sel et de poivre. Bien mélanger. Placer une crevette sur chacune des feuilles de riz et ajouter une portion de la préparation de salade. Refermer en pliant les côtés vers le centre puis en roulant. Dans une poêle, faire colorer les rouleaux dans un filet d'huile d'olive. Servir chaud.

Servir les bouchées avec un petit bol contenant de la sauce hoisin pour compléter la dégustation.

FLÉTAN

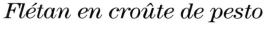
30 min

Flétan en croûte de pesto

1 t. de feuilles de basilic
2 gousses d'ail, hachées
¼ t. d'huile d'olive
¼ t. de parmesan en poudre
¼ t. de noix de pin

Zeste de 1 citron
Sel et poivre du moulin
1 ½ t. de flétan, en cubes
Feuilles de basilic entières

PRÉPARATION : Dans un bol, déposer le basilic, l'ail et verser l'huile d'olive. Ajouter le parmesan en poudre et les noix de pin. Incorporer le zeste du citron. Assaisonner de sel et de poivre. Mixer la préparation jusqu'à l'obtention d'un pesto. Napper les cubes de poisson de sauce et déposer sur une plaque de cuisson. Cuire au four 10 minutes à 180 °C/350 °F.

Déposer chacune des bouchées de flétan sur une feuille de basilic et placer sur un plat de service.

FLEUR DE COURGETTE

Beignets de fleurs de courgette

🕐 25 min

¾ t. de farine
Sel et poivre du moulin
2 jaunes d'œufs
1 filet d'huile d'olive

¼ t. de bière froide
6 à 12 fleurs de courgette
Huile végétale

PRÉPARATION : Dans un bol, déposer la farine et assaisonner de sel et de poivre. Incorporer les jaunes d'œufs et l'huile d'olive. Verser la bière. Remuer à l'aide d'un fouet. Laisser reposer au frais 10 à 15 minutes. Tremper chacune des fleurs de courgette dans la pâte à beignets et plonger dans un bain d'huile bien chaude. Cuire jusqu'à coloration. Retirer et égoutter en déposant sur un papier absorbant.

🥄 *Déposer les fleurs de courgette sur un plat de service. Ces beignets sont délicieux servis avec quelques gouttes de miel citronné déposées sur le dessus.*

FOIE DE VOLAILLE

Timbales de mousse de foie de volaille à tartiner

🕐 35 min

1 t. de foies de volaille
½ t. de porto
1 échalote française, ciselée
1 filet d'huile d'olive
2 gousses d'ail, hachées

Sel et poivre du moulin
1 c. à soupe de persil, haché
¾ t. de beurre
½ t. de crème 35 %

PRÉPARATION : Dans un bol, déposer les foies de volaille et le porto. Laisser mariner 15 à 20 minutes au frais. Retirer les foies de volaille et réserver la marinade. Dans une poêle, faire revenir l'échalote dans l'huile d'olive. Incorporer les foies de volaille et l'ail. Assaisonner de sel et de poivre. Déglacer avec la marinade et ajouter le persil. Dans un bol à mixer, déposer la préparation. Ajouter le beurre et la crème. Mixer jusqu'à l'obtention d'une préparation lisse et homogène. Passer au tamis. Rectifier l'assaisonnement. Verser dans des timbales ou des ramequins. Laisser refroidir au frais.

🥄 *Accompagner la mousse de foie de volaille avec des croûtons de pain.*

FOIE GRAS

Millefeuilles de foie gras au pain d'épices

15 min

6 tranches de pain d'épices
4 tranches de foie gras
    mi-cuit au torchon
2 tranches d'ananas

PRÉPARATION : Déposer les tranches de pain d'épices sur le plan de travail. Confectionner de fines galettes en abaissant les tranches de pain d'épices à l'aide d'un rouleau à pâtisserie. Placer une fine tranche de foie gras entre deux tranches de pain d'épices et répéter l'opération en terminant avec une tranche de foie gras. Découper en petits carrés. Déposer un morceau d'ananas sur chacun des carrés.

Piquer les carrés de bord en bord avec des cure-dents en commençant par l'ananas. Placer les mille-feuilles de foie gras au pain d'épices sur un plat et servir.

AUTRE RECETTE :
• Crème de girolle au foie gras poêlé (page 57)

FROMAGE À LA CRÈME

Aumônières de saumon fumé au fromage à la crème

20 min

6 tranches de saumon fumé,
    coupées en 2
½ t. de fromage à la crème
5 c. à soupe de crème 15 %
1 c. à soupe de ciboulette,
    ciselée

1 échalote française, ciselée
1 filet d'huile d'olive
Sel et poivre du moulin
12 tiges de ciboulette

PRÉPARATION : Placer les demi-tranches de saumon sur un plan de travail. Dans un bol à mélanger, déposer le fromage à la crème et verser la crème. Bien battre à l'aide d'une fourchette ou d'un fouet. Incorporer la ciboulette, l'échalote et l'huile d'olive. Assaisonner de sel et de poivre. Remuer la préparation. Placer une petite portion de la préparation au centre de chaque demi-tranche de saumon fumé. Former de petites aumônières (sacs) en remontant

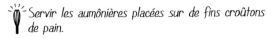

le saumon non recouvert de préparation. Nouer une tige de ciboulette autour de chacune pour bien fermer.

Servir les aumônières placées sur de fins croûtons de pain.

AUTRES RECETTES :
- Fromage à la crème au pesto (page 86)
- Rondelles de carottes crues au fromage à la crème (page 31)

FROMAGE BLEU

Bleu aux noix et raisins

🕐
15 min

❄️

¹/₃ t. de fromage bleu, émietté
1 c. à soupe de beurre
6 tranches de pain de mie

12 raisins, coupés en 2
12 cerneaux de noix de Grenoble

PRÉPARATION : Dans un bol, déposer le fromage bleu et le beurre. Battre à l'aide d'une fourchette jusqu'à l'obtention d'une pommade. Faire griller les tranches de pain de mie. Étaler la préparation fromagère sur les tranches de pain grillé et diviser chaque tranche en 2. Déposer sur chacune une moitié de raisin et un cerneau de noix de Grenoble.

Déposer sur une assiette et servir. Ces bouchées peuvent être servies froides ou chaudes. Pour les servir chaudes, placer au four sous le gril 2 à 3 minutes.

AUTRES RECETTES :
- Crème au fromage bleu et noix de Grenoble (page 24)
- Crème de topinambour au fromage bleu (page 111)
- Dattes farcies au fromage bleu (page 47)

FROMAGE DE CHÈVRE

Chèvre à la figue et caramel de balsamique

🕐
15 min

❄️

Biscuits soda
¾ t. de feuilles de roquette
1 bûchette de fromage de chèvre, en fines rondelles
3 figues fraîches, en quartiers

Sel et poivre du moulin
2 c. à soupe de caramel de balsamique (vinaigre balsamique réduit)

PRÉPARATION : Sur des biscuits soda, disposer une feuille de roquette. Surmonter d'une tranche de fromage de chèvre. Ajouter un quartier de figue sur le dessus. Assaisonner de sel et de poivre. Y verser quelques gouttes de caramel de balsamique. Servir.

AUTRES RECETTES :
- Aumônières de saumon, chèvre et raisins (page 104)
- Cappuccino de brocoli et mousse de chèvre (page 28)
- Champignons au chèvre frais comme un bouchon (page 34)
- Feuilles de mâche au chèvre et noix de pin (page 68)
- Macédoine de betterave au chèvre (page 23)
- Rondelles de carottes crues au fromage à la crème (page 31)
- Tartelettes de portobello au chèvre gratiné (page 94)
- Triangles de chèvre aux épinards (page 51)

FRUITS ROUGES

Gaspacho de fruits rouges et ceviche de pétoncles

1 t. de fruits rouges
¼ t. de vinaigre de framboise
2 filets d'huile d'olive
3 à 6 pétoncles, en dés

Jus de 2 limes
Sel et poivre du moulin
½ c. à soupe de coriandre, hachée

25 min

PRÉPARATION : Dans un bol, déposer les fruits rouges et verser le vinaigre de framboise. Ajouter un filet d'huile d'olive et du poivre. Mixer la préparation jusqu'à l'obtention d'une belle soupe. Sur une assiette, déposer les pétoncles. Arroser de jus de lime et d'un filet d'huile d'olive. Assaisonner de sel et de poivre. Ajouter la coriandre. Conserver au frais.

 Placer le ceviche de pétoncles au fond de verres à shooter et verser dessus la gaspacho bien glacée.

FRUITS SECS

Bâtonnets de cheddar au chutney de fruits secs

¼ t. de cognac
¼ t. de vinaigre
¾ t. de fruits secs
mélangés, hachés
grossièrement

1 pincée de cinq-épices
Sel et poivre du moulin
Environ 225 g (8 oz) de
fromage cheddar vieilli,
en bâtonnets

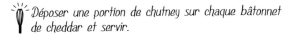

25 min

PRÉPARATION : Dans une casserole, verser le cognac et le vinaigre. Ajouter les fruits et les épices. Assaisonner de sel et de poivre. Laisser mijoter à feu doux jusqu'à évaporation complète du liquide.

Déposer une portion de chutney sur chaque bâtonnet de cheddar et servir.

GIROLLE

Crème de girolle au foie gras poêlé

1 ½ t. de girolles
1 échalote française, ciselée
1 c. à soupe de beurre

1 t. de crème 15 %
½ t. de foie gras cru, en dés
Sel et poivre du moulin

30 min

PRÉPARATION : Dans une poêle, faire revenir les champignons et l'échalote dans le beurre. Une fois les girolles cuites, verser la crème. Assaisonner de sel et de poivre. Laisser mijoter 5 à 6 minutes à feu doux. Mixer jusqu'à l'obtention d'une préparation crémeuse. Dans une poêle, faire colorer rapidement les dés de foie gras. Assaisonner de sel et de poivre.

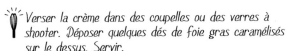

Verser la crème dans des coupelles ou des verres à shooter. Déposer quelques dés de foie gras caramélisés sur le dessus. Servir.

GOURGANE

Salade de gourganes au chorizo

25 min

2 t. de gourganes fraîches
1 échalote française, ciselée
½ t. de chorizo, en dés
1 c. à soupe de beurre

¼ t. de vin blanc
Sel et poivre du moulin
2 à 3 avocats, coupés en 2, dénoyautés, évidés

PRÉPARATION : Dans une casserole d'eau bouillante salée, plonger les gourganes et cuire de 3 à 5 minutes, Retirer et plonger dans un bol d'eau glacée pour stopper la cuisson. Retirer la peau des gourganes. Dans une poêle, faire colorer les gourganes sans matière grasse. Une fois les gourganes cuites, ajouter l'échalote, le chorizo et le beurre. Déglacer avec le vin blanc. Assaisonner de sel et de poivre. Laisser mijoter jusqu'à évaporation du liquide. Farcir les coquilles d'avocat avec la préparation.

 Servir les demi-avocats farcis sur une assiette de service avec des petites cuillères.

GRUYÈRE RÂPÉ

Soupe à l'oignon gratinée minute

35 min

2 gros oignons, émincés
1 c. à soupe de beurre
1 filet d'huile d'olive
3 t. d'eau

Sel et poivre du moulin
1 t. de croûtons de pain
1 t. de gruyère, râpé

PRÉPARATION : Dans une casserole, faire caraméliser les oignons dans le beurre et l'huile d'olive. Verser l'eau. Assaisonner de sel et de poivre. Laisser mijoter jusqu'à évaporation de la moitié du volume. Déposer des croûtons de pain dans le fond de minibols allant au four. Verser la soupe à l'oignon sur le dessus. Terminer avec le fromage. Passer sous le gril du four. Retirer une fois le fromage gratiné.

 Servir chaude avec des petites cuillères.

HARENG

Hareng poêlé au bacon

¾ t. de filets de hareng, émincés
1 filet d'huile d'olive
1 échalote française, émincée
Quelques gouttes de vinaigre blanc

¹/₃ t. de bacon, émincé
1 c. à soupe de ciboulette, ciselée
Sel et poivre du moulin
2 œufs cuits durs, tranchés

35 min

PRÉPARATION : Dans une poêle, saisir les filets de hareng dans l'huile d'olive. Incorporer l'échalote et cuire à feu doux. Déglacer avec le vinaigre blanc. Retirer le hareng et poursuivre la cuisson en ajoutant le bacon. À coloration, retirer du feu et parsemer de ciboulette. Assaisonner de sel et de poivre. Mélanger délicatement. Réserver au frais.

 Sur des carrés de pain grillé, déposer une tranche d'œuf dur. Compléter en ajoutant une petite portion de salade de hareng au bacon bien froide sur chaque carré.

HARICOT BLANC

Petit cassoulet et poitrine fumée

1 échalote française, ciselée
2 gousses d'ail, hachées
1 filet d'huile d'olive
¾ t. de poitrine fumée, en lardons

1 t. de haricots blancs cuits
Sel et poivre du moulin
¹/₃ t. de chapelure

30 min

PRÉPARATION : Dans une poêle, faire revenir l'échalote et l'ail dans l'huile d'olive. Ajouter la poitrine fumée. À coloration, ajouter les haricots blancs cuits. Assaisonner de sel et de poivre. Mélanger. Verser le mélange dans des ramequins. Recouvrir de chapelure. Cuire au four environ 15 minutes à 180 °C/350 °F.

 Servir chaud.

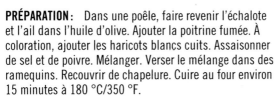

HARICOT JAUNE

20 min

Jardinière de poulet au curry

¾ t. de poulet, en dés	¼ t. de tomates, en dés
1 c. à soupe de beurre	½ c. à thé de curry
1 filet d'huile d'olive	Sel et poivre du moulin
1 t. de haricots jaunes, en tronçons	⅓ t. de crème 35 %
1 gousse d'ail, hachée	1 c. à soupe de persil, haché

PRÉPARATION : Dans une poêle, saisir le poulet dans le beurre et l'huile d'olive. À coloration, incorporer les haricots jaunes, l'ail et les tomates. Ajouter le curry. Assaisonner de sel et de poivre. Verser la crème. Remuer. Laisser mijoter 10 à 15 minutes à feu doux. Saupoudrer de persil haché. Remuer.

 Servir la préparation dans des cuillères chinoises ou dans le creux de feuilles d'endives.

HARICOT VERT

20 min

Fagots à la viande séchée

1 ½ t. de haricots verts cuits encore croquants	Sel et poivre du moulin
1 filet d'huile d'olive	8 à 16 petites tranches fines de viande séchée (grison ou autre)
Quelques gouttes de vinaigre de vin rouge	8 à 16 tiges de ciboulette

PRÉPARATION : Dans un bol, déposer les haricots verts et verser l'huile d'olive et le vinaigre de vin rouge. Assaisonner de sel et de poivre. Mélanger la salade. Confectionner des petits fagots de haricots de taille identique. Enrouler sur chacun une fine tranche de viande séchée. Ficeler avec une tige de ciboulette.

Au moment de servir, trancher une baguette de pain dans le sens de la longueur. Faire griller le pain. Découper de petits rectangles de pain et déposer sur chacun un fagot de haricots.

HOMARD

Club sandwich de salade de homard

½ t. de chair de homard cuit
4 c. à soupe de mayonnaise
Sel et poivre du moulin
Jus de 1 citron
1 t. de salade romaine, émincée

1 c. à soupe de parmesan, râpé
1 tomate, en rondelles
8 tranches de pain de mie

25 min

PRÉPARATION : Dans un bol, déposer la chair de homard et la mayonnaise. Assaisonner de sel et de poivre. Arroser avec le jus de citron. Remuer. Incorporer la salade et le parmesan. Mélanger. Faire griller les tranches de pain. Déposer sur 4 des 8 tranches les rondelles de tomate. Partager la salade de homard et refermer avec une tranche de pain grillé.

 Piquer chaque sandwich avec un cure-dents à chaque extrémité. Couper chaque sandwich en 4 afin de confectionner de miniclubs sandwichs.

HUILE D'OLIVE

Perles de balsamique à l'huile d'olive citronnée

Sel et poivre du moulin
Jus de 1 citron
⅓ t. d'huile d'olive

6 c. à soupe de vinaigre balsamique réduit
Zeste de ½ citron

10 min

PRÉPARATION : Dans un bol, mettre le sel et le poivre. Verser le jus de citron pour dissoudre l'assaisonnement. Remuer. Ajouter l'huile d'olive et incorporer le balsamique réduit. Battre délicatement à l'aide d'une fourchette, afin de perler la préparation. Parfumer avec le zeste de citron.

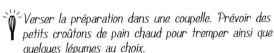 *Verser la préparation dans une coupelle. Prévoir des petits croûtons de pain chaud pour tremper ainsi que quelques légumes au choix.*

HUILE DE NOIX

Pesto en trempette aux noix de Grenoble

15 min

1 t. de feuilles d'épinards, parées	¼ t. d'huile de noix
⅓ t. de noix de Grenoble, en brisures	⅓ t. de fromage à la crème
2 c. à soupe de parmesan, râpé	Sel et poivre du moulin

PRÉPARATION : Dans un bol, déposer les feuilles d'épinards et les noix de Grenoble. Ajouter le parmesan et verser l'huile de noix. Mixer les ingrédients. Incorporer le fromage à la crème. Assaisonner de sel et de poivre. Bien mélanger la préparation. Conserver au frais.

Placer le pesto à trempette dans une coupelle. Accompagner de légumes crus variés.

HUÎTRE

Huîtres au beurre d'échalote gratinées

25 min

4 échalotes françaises, émincées	1 gousse d'ail, hachée
½ t. de beurre	6 à 12 huîtres froides en coquilles
Sel et poivre du moulin	1 t. de gruyère, râpé

PRÉPARATION : Dans une casserole, caraméliser l'échalote dans le beurre. Dans un bol à mixer, déposer l'échalote colorée. Assaisonner de sel et de poivre. Incorporer l'ail et mixer pour obtenir un beurre uniforme. Réserver. Ouvrir les huîtres. Dans chacune des coquilles côté huître, déposer une noix de la préparation et parsemer de gruyère râpé. Déposer sur une plaque de cuisson. Cuire au four 8 à 10 minutes à 180 °C/350 °F.

Présenter les huîtres gratinées déposées sur du gros sel dans un plat de service.

AUTRE RECETTE :
- Huîtres fraîches au vinaigre aux échalotes (page 114)

JAMBON

Pan con tomate au jambon

4 tranches de pain de campagne	1 filet d'huile d'olive
1 gousse d'ail, pelée	Sel et poivre du moulin
2 tomates, coupées en 2, pulpe retirée	4 tranches de jambon

20 min

PRÉPARATION : Griller les tranches de pain sur une seule surface. Frotter la gousse d'ail sur la surface grillée des tranches de pain et sur les tomates. Déposer les tomates sur le pain. Verser l'huile d'olive sur le pain aux tomates. Assaisonner de sel et de poivre. Disposer les tranches de jambon sur les tartines. Couper les sandwichs en morceaux.

 Le pain con tomate au jambon cru est une des grandes spécialités catalanes. Essayer cette bouchée, c'est l'adopter.

AUTRES RECETTES :
- Feuilles d'endive au jambon (page 49)
- Millefeuilles de crêpes au jambon (page 46)

JAMBON BLANC

Miniquiches Lorraine

1 rouleau de pâte feuilletée	½ t. de jambon blanc, en dés
2 jaunes d'œufs	⅓ t. de gruyère, râpé
1 t. de crème 35 %	
Sel et poivre du moulin	

35 min

PRÉPARATION : Étaler la pâte feuilletée sur un plan de travail. Foncer des moules à tartelettes avec la pâte. Dans un bol, déposer les jaunes d'œufs et verser la crème. Assaisonner de sel et de poivre. Battre vigoureusement à l'aide d'un fouet. Déposer les dés de jambon dans les tartelettes, puis verser une portion de la préparation sur le dessus. Parsemer le fromage. Cuire au four 15 à 20 minutes à 180 °C/350 °F.

Une bouchée festive à servir chaude.

JUS D'ORANGE

Sirop aigre-doux

20 min

2 c. à soupe de sucre
1 c. à soupe de beurre
1 t. de jus d'orange
4 c. à soupe de vinaigre
   de vin rouge

1 gousse d'ail, hachée
Sel et poivre du moulin

PRÉPARATION : Dans une casserole, déposer le sucre
et démarrer un caramel sans eau. À coloration, ajouter
le beurre et remuer à l'aide d'une cuillère. Verser le jus
d'orange et le vinaigre de vin rouge. Ajouter l'ail. Assaisonner de sel et de poivre. Laisser mijoter à feu doux jusqu'à
l'obtention d'un sirop onctueux.

 Le sirop servira à l'élaboration de diverses trempettes
pour les bouchées.

JUS DE LÉGUMES

Gaspacho express

20 min

Jus de ½ citron
6 c. à soupe de vinaigre de
   vin rouge
Sel et poivre du moulin
1 t. de jus de légumes

1 c. à soupe de carottes,
   en dés
1 c. à soupe de céleri, en dés
1 c. à soupe de concombre,
   en dés

PRÉPARATION : Dans un bol, verser le jus de citron ainsi
que le vinaigre de vin rouge. Assaisonner de sel et poivre.
Ajouter le jus de légumes. Bien mélanger. Conserver au
frais jusqu'au moment de servir.

 Déposer les légumes dans des verres à shooter.
Remplir les verres de gaspacho bien fraîche.

KETCHUP

Sauce rosée pour
trempette

10 min

¼ t. de ketchup
¾ t. de mayonnaise
Quelques gouttes de sauce
   Tabasco

6 c. à soupe de cognac ou
   de whisky

PRÉPARATION : Dans un petit bol, déposer le ketchup et la mayonnaise. Ajouter la sauce Tabasco et le cognac ou le whisky. Mélanger la préparation à l'aide d'un fouet. Conserver au frais.

Cette sauce à trempette sera excellente avec un assortiment de légumes crus ou avec des bouchées de poisson ou de viande.

LAIT CONCENTRÉ

Filet mignon de porc caramélisé

½ t. d'oignon, ciselé
1 filet d'huile d'olive
1 t. de filet mignon de porc, en dés

Sel et poivre du moulin
Quelques gouttes de cognac
¼ t. de fond brun
½ t. de lait concentré

35 min

PRÉPARATION : Dans une poêle, faire revenir l'oignon dans l'huile d'olive. Avant coloration, ajouter la viande. Assaisonner de sel et de poivre. Déglacer avec le cognac et le fond brun. Bien remuer. À ébullition, ajouter le lait concentré. Laisser mijoter quelques minutes.

Servir chaud. Déposer la préparation dans des petites cuillères chinoises.

LAITUE

Bonbons de laitue à la purée de champignon

2 t. de champignons de Paris, en morceaux
2 échalotes françaises, ciselées
1 c. à soupe de beurre

¼ t. de vin blanc
Sel et poivre du moulin
1 laitue romaine, divisée en feuilles

40 min

PRÉPARATION : Dans un bol, déposer les champignons et les échalotes. Remuer. Dans une casserole, faire revenir les champignons et les échalotes dans le beurre jusqu'à coloration. Verser le vin blanc sur la préparation et assaisonner de sel et de poivre. Cuire jusqu'à évaporation complète du liquide. Dans une casserole d'eau bouillante salée, faire pocher rapidement les feuilles de laitue, puis les plonger aussitôt dans un bol d'eau glacée. Placer les feuilles de laitue préalablement égouttées sur le plan de travail et les diviser en 2. Farcir chacune d'elles d'une portion de préparation et refermer en pliant. Passer au four micro-ondes à haute puissance 30 secondes avant de servir.

Ces bonbons de laitue sont délicieux servis sur des biscuits soda avec une pointe de mayonnaise.

LANGOUSTINE

Crostini de langoustine au pesto

20 min

3 c. à soupe de pesto au basilic
1 t. de queues de langoustine, décortiquées

Sel et poivre du moulin
12 tranches de pain de mie
2 c. à soupe de beurre

PRÉPARATION : Dans un bol, déposer le pesto au basilic et les queues de langoustine. Assaisonner de sel et de poivre. Remuer pour enrober complètement les langoustines. Déposer les tranches de pain de mie sur un plan de travail et les aplatir en fines crêpes à l'aide d'un rouleau à pâtisserie. Retirer les croûtes de pain. Placer une langoustine sur chaque tranche et enrouler complètement. Dans une poêle, faire colorer les rouleaux aux langoustines dans le beurre. Terminer la cuisson au four 5 minutes à 180 °C/350 °F.

Servir chauds avec une salade de tomates cerises et des feuilles de basilic en accompagnement.

AUTRE RECETTE :
• Langoustines au pesto en pâte phyllo (page 83)

LAPIN

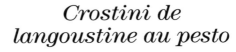

Lapin aux pommes et au cidre

35 min

1 t. de viande de lapin, en dés
2 échalotes françaises, hachées
1 filet d'huile d'olive
Sel et poivre du moulin

¾ t. de pommes rouges, pelées en dés
1 t. de cidre de pomme
1 c. à soupe de beurre
4 pommes rouges

PRÉPARATION : Dans une poêle, faire revenir la viande de lapin et l'échalote dans l'huile d'olive. Assaisonner de sel et de poivre. Remuer. À coloration, ajouter les dés de pommes et verser le cidre. Laisser mijoter à feu doux. Incorporer le beurre pour lier la sauce. Servir bien chaud.

Retirer à l'aide d'un couteau d'office le haut de chaque pomme. Évider les pommes à l'aide d'une cuillère à soupe. Les farcir avec la préparation de lapin et refermer les chapeaux. Servir aux convives avec des fourchettes.

LENTILLE

Écrasé de lentilles et croustilles de bacon

20 min

3 c. à soupe d'huile d'olive
3 c. à soupe de vinaigre de vin rouge
Sel et poivre du moulin

2 t. de lentilles cuites
1 gousse d'ail, hachée
1 c. à soupe de persil, haché
4 tranches de bacon

PRÉPARATION : Dans un bol, verser l'huile d'olive et le vinaigre de vin rouge. Assaisonner de sel et de poivre. Mélanger à l'aide d'un fouet. Ajouter les lentilles, l'ail et le persil. Bien mélanger. Conserver au frais jusqu'au moment de servir. Déposer les tranches de bacon sur une plaque de cuisson. Cuire au four 20 minutes à 180 °C/350 °F jusqu'à ce que le bacon soit dur comme une croustille. Émietter le bacon grossièrement. Écraser la salade de lentilles à l'aide d'une fourchette. Rectifier l'assaisonnement au besoin.

Déposer la préparation dans des coupelles et parsemer en surface de brisures de croustilles au bacon.

LIME

Tartare de saumon dans une lime

25 min

12 limes
1 t. de saumon frais, en dés
1 échalote française, finement ciselée
1 c. à soupe de ciboulette, ciselée

Sel et poivre du moulin
1 filet d'huile d'olive
1 c. à soupe de noix de pin

PRÉPARATION : Couper le dessus de chaque lime. Évider chacune d'elles. Conserver les couvercles, la pulpe et le jus dans des contenants séparés. Dans un bol, déposer le saumon, l'échalote et la ciboulette. Assaisonner de sel et de poivre. Incorporer le jus de lime, l'huile d'olive et les noix de pin. Bien mélanger. Conserver au frais.

Farcir les limes de la préparation et refermer avec les couvercles réservés. Servir avec des petites cuillères.

MÂCHE

15 min

Feuilles de mâche au chèvre et noix de pin

2 t. de feuilles de mâche
¼ t. de noix de pin
$1/3$ t. de fromage de chèvre, en dés
½ t. de tomates cerises, en quartiers

1 filet d'huile d'olive
Quelques gouttes de vinaigre de vin rouge
Sel et poivre du moulin

PRÉPARATION : Dans un bol, déposer les feuilles de mâche. Incorporer les noix de pin et le fromage de chèvre. Ajouter les tomates cerises et arroser d'un filet d'huile d'olive et de quelques gouttes de vinaigre de vin. Assaisonner de sel et de poivre. Mélanger délicatement la salade.

Déposer une portion de la préparation sur des biscottes.

MAHI MAHI

30 min

Mahi mahi à l'orange

1 t. de mahi mahi, en cubes
2 c. à soupe de beurre
Sel et poivre du moulin
Jus de ½ citron
Quelques gouttes de vinaigre de vin rouge

1 c. à soupe de feuilles d'estragon
½ c. à soupe de sucre
½ t. de jus d'orange
Suprêmes de 1 orange

PRÉPARATION : Dans une poêle, saisir le mahi mahi des deux côtés dans le beurre. Assaisonner de sel et de poivre. Déglacer avec le jus de citron et le vinaigre de vin rouge. Ajouter l'estragon. Remuer délicatement. Incorporer le sucre et le jus d'orange. Laisser mijoter environ 10 minutes à feu doux. Ajouter les suprêmes d'orange en fin de cuisson. Rectifier l'assaisonnement au besoin.

 Déposer le mahi mahi à l'orange dans des cuillères chinoises et servir chaud.

MAÏS

Blé d'inde au beurre à l'ail

3 à 4 épis de maïs frais
2 c. à soupe d'ail, haché
1 t. de beurre

Sel et poivre du moulin
Quelques feuilles de papier d'aluminium

30 min

PRÉPARATION : Dans une casserole d'eau bouillante salée, mettre les épis de maïs. Cuire 10 à 12 minutes. Retirer et égoutter. Diviser chaque épi en trois tronçons, dans le sens de la longueur. Dans une poêle, faire revenir l'ail dans le beurre. Cuire à feu doux 5 à 10 minutes. Assaisonner de sel et de poivre. Ajouter les tronçons d'épis de maïs. Cuire 3 à 5 minutes. Retirer. Déposer chaque portion de maïs sur un carré de papier d'aluminium. Verser sur chacune une part du beurre restant. Refermer en papillotes et cuire au four 10 minutes à 180 ºC/350 ºF.

 Servir tiède dans un plat de service.

MAÏS À ÉCLATER

Maïs soufflé à l'huile de truffe et parmesan

1 filet d'huile végétale
½ t. de maïs à éclater
3 c. à soupe d'huile de truffe

Sel et poivre du moulin
¼ t. de parmesan en poudre

15 min

PRÉPARATION : Dans une grande casserole, verser l'huile végétale et déposer le maïs à éclater. Couvrir. Bien remuer afin de napper les grains de maïs d'huile. Retirer la casserole du feu au dernier éclatement de maïs. Attendre quelques instants avant de retirer le couvercle. Remuer à l'aide d'une spatule et assaisonner de sel et de poivre. Ajouter l'huile de truffe et le parmesan. Bien mélanger.

M

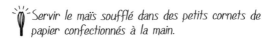Servir le maïs soufflé dans des petits cornets de papier confectionnés à la main.

AUTRE RECETTE :
• Crème de maïs soufflé (page 44)

MAQUEREAU

Émietté de maquereau à la catalane

2 filets de maquereau sans peau
1 filet d'huile d'olive
Sel et poivre du moulin
¼ t. d'oignon, finement haché

¼ t. de vin blanc
1 c. à soupe de pâte de tomate
½ t. de tomates, concassées
2 c. à soupe de cornichons, hachés

PRÉPARATION : Dans une poêle, saisir les filets de maquerau des deux côtés dans l'huile d'olive. Assaisonner de sel et de poivre. Ajouter l'oignon et déglacer avec le vin blanc. Incorporer la pâte de tomate, les tomates concassées et les cornichons. Laisser mijoter 10 à 15 minutes à feu doux. Émietter le poisson à l'aide d'une fourchette. Rectifier l'assaisonnement. Bien mélanger.

Déposer l'émietté de maquereau dans des coupelles ou dans des feuilles de salade iceberg.

MAYONNAISE

Mayo limette

Jus et zeste de 1 limette
Sel et poivre du moulin
1 t. de mayonnaise

PRÉPARATION : Dans un petit bol, verser le jus de limette. Assaisonner de sel et de poivre. Ajouter la mayonnaise et le zeste de limette. Bien mélanger la préparation et conserver au frais.

Utiliser la mayonnaise à la limette pour les bouchées à base de crudités, de poissons ou de fruits de mer.

MELON (CANTALOUP)

Melons surprises au porto

15 min

4 à 6 petits cantaloups,
coupés en 2 dans le sens
de la largeur

Jus de ½ citron
1½ t. de porto

PRÉPARATION : Retirer toutes les graines et les fibres
au centre des cantaloups à l'aide d'une cuillère à soupe.
Arroser l'intérieur de chacun d'eux avec le jus de citron et
les placer au frais environ 1 heure. Au moment de servir,
verser le porto dans le creux de chaque cantaloup.

*Servir bien frais accompagnés de petites cuillères pour
la dégustation. Quelques fines tranches de prosciutto
seront les bienvenues pour un accord parfait !*

MERGUEZ

Petit couscous merguez

30 min

3 merguez
1 filet d'huile d'olive
3 c. à soupe de courgette,
en dés
½ t. de semoule fine

1 t. de bouillon de légumes
Sel et poivre du moulin
1 c. à soupe de raisins de
Corinthe

PRÉPARATION : Dans une poêle, cuire les merguez dans
un filet d'huile d'olive. Retirer les merguez et les couper
en rondelles. Les remettre dans la poêle avec les dés de
courgette. Verser la semoule fine et arroser le tout avec
le bouillon de légumes. Assaisonner de sel et de poivre.
Ajouter les raisins de Corinthe. Retirer aussitôt la poêle du
feu et couvrir pour faire gonfler la semoule.

*Présenter le couscous dans des petits tronçons de
navet cuits et creusés ou dans des miniplats à tajine
format bouchée dînatoire.*

MIEL

Miel parfumé à la truffe

10 min

1 c. à soupe de brisures
de truffe
½ t. de miel

½ c. à soupe d'huile
de truffe

PRÉPARATION : Dans un bol, déposer les brisures de truffe et verser le miel. Ajouter l'huile de truffe et bien mélanger à l'aide d'une cuillère.

 Le miel parfumé à la truffe sera un excellent complice pour accompagner les fromages. Verser quelques gouttes au-dessus de chacun d'eux au moment de les servir.

MORUE

Acras de morue

35 min

1 t. de chair de morue dessalée, en dés	Jus de 1 citron
¼ t. d'oignon, haché finement	Quelques gouttes de sauce Tabasco
2 gousses d'ail, hachées	Sel et poivre du moulin
¼ t. de crème 15 %	1 t. de farine
2 c. à soupe de persil, haché	2 œufs
	Huile végétale

PRÉPARATION : Dans une casserole d'eau bouillante, faire pocher la morue quelques minutes. Retirer la morue de l'eau et laisser tiédir. Émietter à l'aide d'une fourchette. Dans une casserole, déposer l'oignon, l'ail et la crème. Porter à ébullition et incorporer la chair de morue. Ajouter le persil haché et le jus de citron. Verser quelques gouttes de sauce Tabasco et assaisonner de sel et de poivre. Bien remuer la préparation. Confectionner des petites boules en roulant chaque fois un peu de préparation dans le creux des mains. Laisser reposer les boules obtenues au frais 10 à 15 minutes. Dans un bol, battre les œufs pour la dorure. Placer la farine dans une assiette. Fariner les boules de poisson puis les tremper dans la dorure. Les passer une seconde fois dans la farine. Plonger quelques boules à la fois dans un bain d'huile bien chaude. Cuire jusqu'à coloration. Retirer et égoutter en déposant sur un papier absorbant.

 Servir les acras accompagnés d'une ou plusieurs sauces à trempette.

MOULE

Moules gratinées en persillade

3 t. de moules fraîches	Poivre du moulin
¼ t. de beurre	½ t. de gruyère, râpé
1 c. à soupe d'ail, haché	
2 c. à soupe de persil, haché	

PRÉPARATION : Ouvrir les moules à l'aide d'un petit couteau. Détacher les moules et les replacer dans leur moitié de coquille. Dans un bol, mettre le beurre, l'ail et le persil. Assaisonner de poivre. Bien mélanger et poser une noix de beurre sur chaque moule. Recouvrir de gruyère. Déposer sur une plaque de cuisson. Cuire au four à 180 °C/350 °F jusqu'à coloration du fromage.

Servir chaudes. Déposer les coquilles sur un plat de service recouvert de gros sel.

AUTRE RECETTE :
- Crème de courge musquée aux moules marinières (page 42)

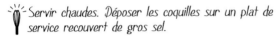

MOUTARDE

Tartare de tomate à la moutarde

¾ t. de tomates, concassées	Sel et poivre du moulin
1 c. à soupe d'échalote, finement ciselée	1 filet d'huile d'olive
1 c. à soupe de basilic, haché	2 c. à soupe de moutarde forte

PRÉPARATION : Dans un bol, déposer les tomates, l'échalote et le basilic. Assaisonner de sel et de poivre. Bien mélanger. Arroser d'huile d'olive et ajouter la moutarde. Remuer. Conserver au frais.

Déposer le tartare de tomate sur des tranches de pain grillé.

AUTRE RECETTE :
- Ailes de poulet miel, moutarde et citron (page 94)

MOZZARELLA

Mozzarella frite et basilic

25 min

1 t. de mozzarella en boule, coupée en 10	2 œufs
	Eau
Sel et poivre du moulin	1 t. de chapelure
¼ t. de feuilles de basilic	Huile végétale

PRÉPARATION : Assaisonner la mozzarella de sel et de poivre. Enrouler les morceaux de fromage de feuilles de basilic. Dans un bol, déposer les œufs avec quelques gouttes d'eau. Battre vigoureusement à l'aide d'un fouet. Déposer la chapelure sur une assiette. Tremper les morceaux de fromage dans les œufs battus, puis les rouler dans la chapelure. Préparer un bain d'huile végétale. Y plonger les morceaux de fromage. Retirer à coloration et servir chaud.

Proposer un assortiment de sauces à trempette ou seulement quelques légumes crus pour accompagner les bouchées fromagères.

AUTRE RECETTE :
• Tomates cerises mozzarella-basilic en brochettes (page 22)

NAVET

Croustilles de jeune navet

15 min

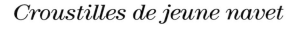

2 t. de glaçons	1 navet moyen, pelé, en fines rondelles
Eau	
¼ de t. de vinaigre de vin blanc	Sel et poivre du moulin

PRÉPARATION : Dans un bol, déposer les glaçons avec très peu d'eau. Ajouter le vinaigre de vin blanc. Incorporer les rondelles de navet. Remuer. Laisser 10 à 15 minutes au frais. Retirer les tranches et les égoutter. Assaisonner de sel et de poivre.

Placer les croustilles à cru de navet dans une coupelle givrée.

NOIX DE GRENOBLE

Croustillants de brie aux noix

¼ t. de noix de Grenoble, en brisures
1 t. de fromage brie avec sa croûte, en cubes de 2 cm

1 rouleau de pâte phyllo
1 léger filet d'huile d'olive

25 min

PRÉPARATION : Sur une assiette, déposer les noix de Grenoble. Y rouler les cubes de fromage pour les enrober entièrement. Étendre la pâte phyllo sur le plan de travail. Découper des carrés d'une taille d'environ 10 cm et refermer en enveloppe. Déposer les bouchées sur une plaque de cuisson. Cuire au four 8 à 10 minutes à 180 °C/350 °F. Servir chaud.

 Présenter les croustillants de brie aux noix de Grenoble sur des croûtons de pain avec quelques feuilles de mâche.

AUTRES RECETTES :
- Bonbons de cretons aux noix de Grenoble (page 46)
- Crème au fromage bleu et noix de Grenoble (page 24)

NOIX DE PIN

Truffes au bleu, noix de pin et poire

⅓ t. de fromage bleu
¼ t. de beurre
Poivre du moulin

2 c. à soupe de poire, en dés
⅓ t. de noix de pin

25 min

PRÉPARATION : Dans un bol, déposer le fromage bleu. Écraser à l'aide d'une fourchette. Incorporer le beurre. Assaisonner de poivre. Bien mélanger. Ajouter les poires. Confectionner un boudin avec la préparation. Réserver. Dans une poêle, torréfier rapidement les noix de pin sans ajout de matière grasse. Déposer les noix de pin sur une assiette. Laisser refroidir. Rouler le boudin de fromage bleu dans les noix de pin. Couper le boudin en rondelles.

Déposer les rondelles dans des feuilles d'endive et servir.

AUTRE RECETTE :
• Feuilles de mâche au chèvre et noix de pin (page 68)

ŒUF

Lait de poule dans sa coquille

20 min

6 à 8 œufs	Sel et poivre du moulin
½ t. de champignons de Paris, hachés	1 t. de lait
	¼ t. de jus de viande
2 c. à soupe beurre	

PRÉPARATION : Ouvrir la partie supérieure des œufs à l'aide d'un casse-coquille. Dans un bol, vider le contenu des œufs. Réserver. Rincer l'intérieur des coquilles d'œufs à l'eau froide. Dans une poêle, faire revenir les champignons dans le beurre. Assaisonner de sel et de poivre. Dans une casserole, verser le lait et porter à ébulllition. Ajouter les œufs. Assaisonner de sel et de poivre. Fouetter énergiquement à l'aide d'un fouet pour faire mousser la préparation. La retirer du feu une fois onctueuse. Déposer une petite portion de champignons dans chaque coquille d'oeuf. Verser du jus de viande préalablement chauffé sur le dessus et terminer de remplir les œufs avec le lait de poule.

Poser les coquilles d'œufs sur des coquetiers accompagnés de petites cuillères.

ŒUF DE CAILLE

Œufs de caille pochés sur concombre

25 min

Eau	1 pincée de curry
⅓ t. de vinaigre blanc	½ concombre, cannelé,
6 à 8 œufs de caille	en rondelles
Sel et poivre du moulin	
3 c. à soupe de mayonnaise	

PRÉPARATION : Remplir 6 à 8 verres à shooter à moitié d'eau, à moitié de vinaigre blanc. Casser un œuf de caille dans chacun des verres. Dans une casserole d'eau bouillante, ajouter le restant du vinaigre blanc. Retirer la casserole du feu et incorporer les œufs de caille un à un pour les faire pocher. Déposer les œufs sur un linge de cuisine afin d'absorber l'eau de cuisson. Assaisonner de sel et de poivre. Dans un bol, mélanger la mayonnaise et le curry. Placer un peu de sauce curry sur chaque tranche de concombre et déposer un œuf de caille poché sur chacune.

Servir frais dans un plat de service. Quelques petites feuilles d'estragon hachées déposées sur l'œuf de caille donneront un goût agréable à cette bouchée.

AUTRE RECETTE :
• Salicorne aux framboises et œufs de caille (page 101)

ŒUFS DE POISSON

Mousseline de chou-fleur aux œufs de poisson

30 min

1 t. de chou-fleur, en bouquets	1 filet d'huile d'olive citronnée
1/3 t. de crème 35 %	2 c. à soupe d'œufs de poisson
Sel et poivre du moulin	

PRÉPARATION : Dans une casserole d'eau bouillante salée, plonger le chou-fleur 1 minute. Retirer et égoutter. Dans une casserole, verser la crème. Assaisonner de sel et de poivre. Placer le chou-fleur dans la crème pour terminer la cuisson. Mixer jusqu'à l'obtention d'une mousseline lisse. Laisser reposer 10 à 15 minutes au frais. Dans un bol, verser l'huile d'olive citronnée. Ajouter les œufs de poisson. Remuer délicatement. Une fois la crème de chou-fleur bien froide, incorporer les œufs. Rectifier l'assaisonnement. Bien mélanger la préparation.

Verser la mousseline dans des verres à shooter et garnir avec un croûton de pain grillé.

OIGNON

25 min

Feuilletés à la confiture d'oignon

1 rouleau de pâte feuilletée
1 gros oignon, finement
  émincé
1 filet d'huile d'olive

Sel et poivre du moulin
2 c. à soupe de sirop de
  grenadine

PRÉPARATION : Foncer des moules à tartelettes de pâte feuilletée. Dans une poêle, faire caraméliser lentement l'oignon dans l'huile d'olive. Avant coloration, assaisonner de sel et de poivre. Verser le sirop de grenadine et bien mélanger. Laisser mijoter 10 à 15 minutes. Disposer la confiture d'oignons dans les fonds de tartelettes. Cuire au four 15 minutes à 180 °C/350 °F.

Servir chauds. Pour un pur délice, déposer une noix de fromage de chèvre sur le dessus. Le fromage fondra et ajoutera du goût.

AUTRES RECETTES :
- Bœuf à la confiture d'oignon et au vin rouge (page 26)
- Chorizo aux oignons et vin blanc (page 35)
- Soupe à l'oignon gratinée minute (page 58)

OLIVE

Roulades à la tapenade d'olive

25 min

1 t. d'olives vertes ou noires,
  dénoyautées
1 gousse d'ail, hachée
3 filets d'anchois

Un filet d'huile d'olive
Sel et poivre du moulin
1 rouleau de pâte feuilletée
1 c. à soupe d'origan séché

PRÉPARATION : Dans un bol, déposer les olives, l'ail et les anchois. Mixer la préparation. Verser un filet d'huile d'olive. Assaisonner de sel et de poivre. Bien mélanger. Étaler la pâte feuilletée sur le plan de travail. Tartiner la surface de tapenade. Enrouler la pâte pour confectionner un rouleau. Placer 10 à 15 minutes au congélateur. Laquer d'huile d'olive. Parsemer d'origan et couper en rondelles de 1 cm. Déposer les rondelles sur une plaque de cuisson. Cuire 10 à 15 minutes au four à 180 °C/350 °F.

La recette peut se réaliser avec la pâte torsadée ou en bâtonnets plutôt que roulée.

AUTRES RECETTES :
- Bonbons de tomate à la purée d'olive (page 111)
- Crème d'anchois aux olives vertes et topinambour (page 17)

ORANGE

Ceviche de saumon à l'orange et à l'aneth

30 min

1 orange, en suprêmes
½ t. de saumon, en fines tranches
½ c. à soupe de ciboulette, ciselée
½ échalote française, ciselée
1 filet d'huile d'olive
Sel et poivre du moulin

3 c. à soupe de jus de citron
3 c. à soupe de jus de lime
1 orange, coupée en 2 et son jus
Quelques gouttes de sauce Tabasco
1 c. à soupe d'aneth, hachée

PRÉPARATION : Dans un bol, déposer les suprêmes d'orange. Incorporer les fines tranches de saumon. Ajouter la ciboulette, l'échalote et l'huile d'olive. Assaisonner de sel et de poivre. Verser les jus de citron et de lime. Bien remuer. Presser l'orange pour en retirer le jus. Évider la chair à l'aide d'une cuillère. Ajouter le jus d'orange dans la préparation de ceviche. Rectifier l'assaisonnement et rehausser au goût avec quelques gouttes de sauce Tabasco. Ajouter l'aneth. Remuer. Réserver au frais.

 Au moment de servir, placer la préparation dans les moitiés d'orange préalablement évidées. Mettre des petites fourchettes à la disposition des convives.

AUTRE RECETTE :
- Mahi mahi à l'orange (page 68)

ORGE

Pudding d'orge au parmesan

40 min

¾ t. d'orge perlé
3 t. de bouillon de légumes
¼ t. de beurre

Sel et poivre du moulin
¼ t. de parmesan en poudre

PRÉPARATION : Dans une casserole d'eau bouillante salée, plonger l'orge et laisser cuire 5 minutes. Retirer et égoutter. Dans une grande poêle, déposer l'orge et verser le bouillon de légumes. Laisser réduire du ¾. Incorporer le beurre et assaisonner de sel et de poivre. Ajouter le parmesan et bien remuer la préparation jusqu'à l'obtention d'une préparation onctueuse.

 Placer le pudding dans des coupelles et servir chaud.

OSEILLE

Crème d'oseille et crème sure

1 t. d'oseille fraîche, hachée	¼ t. de vin blanc
1 c. à soupe de beurre	1 t. de crème 15 %
Sel et poivre du moulin	1 gousse d'ail, hachée
1 échalote française, ciselée	3 c. à soupe de crème sure

25 min

PRÉPARATION : Dans une casserole, cuire l'oseille dans le beurre à feu doux. Assaisonner de sel et de poivre. Ajouter l'échalote et mouiller avec le vin blanc. Laisser mijoter. Verser la crème et cuire à feu doux. Mixer la préparation jusqu'à l'obtention d'une préparation crémeuse. Dans un petit bol, déposer l'ail et la crème sure. Remuer.

 Verser la crème d'oseille chaude dans des verres à shooter. Déposer en surface une portion de crème sure à l'ail.

PAIN D'ÉPICES

Pain d'épices au boudin

6 tranches de pain d'épices, coupées en 4	1 t. de boudin noir, en rondelles
2 noix de beurre	Sel et poivre du moulin
2 échalotes françaises, ciselées	1 pomme rouge, pelée, en brunoise

30 min

PRÉPARATION : Dans une poêle, colorer les morceaux de pain de chaque côté dans une noix de beurre. Retirer les carrés et cuire dans la même poêle les échalotes et le boudin. Assaisonner de sel et de poivre. Dans une poêle, faire revenir les dés de pomme dans le reste du beurre.

Déposer sur chaque carré de pain d'épices une portion de boudin cuit avec les échalotes. Terminer avec une portion de brunoise de pomme.

AUTRE RECETTE :
• Millefeuilles de foie gras au pain d'épices (page 54)

PAIN DE MIE

Petits pains fourrés à la saucisse

6 à 10 tranches de pain de mie
3 à 5 saucisses à hot dog

1 c. à soupe de beurre
Sel et poivre du moulin

20 min

PRÉPARATION : Déposer les tranches de pain sur un plan de travail. Les abaisser à l'aide d'un rouleau à pâtisserie, puis retirer les croûtes avec un couteau à pain. Dans une casserole d'eau bouillante, faire chauffer les saucisses rapidement. Retirer et égoutter. Couper les saucisses en 2 dans le sens de la largeur. Placer un morceau de saucisse sur chaque tranche de pain. Enrouler. Dans une poêle, faire revenir les rouleaux dans le beurre. Assaisonner de sel et de poivre.

Servir bien chauds accompagnés d'un petit bol de moutarde.

PALOURDE

Sauté de palourdes à la méditerranéenne

¹/₃ t. d'oignon, haché
1 filet d'huile d'olive
2 t. de palourdes
1 c. à soupe de pâte de tomate

4 gousses d'ail, hachées
½ t. de tomates, concassées
1 t. de vin blanc
Sel et poivre du moulin
2 c. à soupe de persil, haché

25 min

PRÉPARATION : Dans une poêle, faire suer l'oignon dans l'huile d'olive. Ajouter les palourdes et la pâte de tomate. Remuer. Incorporer l'ail, les tomates et le vin blanc. Couvrir et cuire jusqu'à ouverture complète des coquilles. Assaisonner de sel et de poivre. Terminer avec le persil.

Servir les palourdes dans leurs coquilles déposées dans des coupelles.

PANAIS

35 min

Mirepoix de panais au beurre de pomme

1 t. de panais, en cubes
½ t. de pomme verte avec la pelure, en cubes
½ t. de jus de pomme
⅓ t. de beurre

Sel et poivre du moulin
Quelques gouttes de jus de citron
½ c. à soupe d'estragon, haché

PRÉPARATION : Dans une casserole d'eau bouillante salée, plonger les panais quelques secondes. Retirer et égoutter. Dans une poêle, déposer les panais et les pommes. Verser le jus de pomme. Porter à ébullition pour terminer la cuisson, puis incorporer le beurre. Assaisonner de sel et de poivre. Remuer. Laisser réduire la préparation afin d'obtenir un jus très onctueux. Ajouter le jus de citron et l'estragon à la toute fin. Servir chaud.

Cette préparation peut être déposée sur des tranches de pain grillé ou dans le creux de feuilles d'endive.

PARMESAN

15 min

Gaufrettes de parmesan

1 t. de parmesan râpé

PRÉPARATION : Poser une toile Silpat sur une plaque de cuisson. Saupoudrer la surface de parmesan râpé. Cuire au four à 180 °C/350 °F jusqu'à coloration. Retirer le fromage fondu et le casser en gros morceaux.

On peut aussi étendre le fromage dans une poêle anti-adhésive et faire cuire. Pour une belle présentation, déposer une tasse de parmesan râpé dans un bol de service et planter dedans les gaufrettes de parmesan.

AUTRES RECETTES :
- Arancini au parmesan (page 98)
- Maïs soufflé à l'huile de truffe et parmesan (page 69)
- Pudding d'orge au parmesan (page 79)

PATATE DOUCE

Mousseline au mascarpone de patates douces et bacon

25 min

1 t. de patates douces, en
dés
¼ t. de bacon, haché
1 noix de beurre

½ t. de mascarpone
Sel et poivre du moulin
2 c. à soupe de ciboulette,
ciselée

PRÉPARATION : Dans une casserole d'eau bouillante salée, cuire les patates douces. Retirer et égoutter. Dans une poêle, cuire le bacon dans le beurre. Ajouter les patates douces. Retirer la poêle du feu et incorporer le mascarpone. Écraser la préparation à l'aide d'une fourchette. Assaisonner de sel et de poivre. Terminer avec la ciboulette. Bien mélanger.

 Servir la mousseline sur des biscottes.

PÂTE PHYLLO

Langoustines au pesto en pâte phyllo

25 min

2 c. à soupe de pesto de
basilic
6 à 8 queues de langoustines, décortiquées

Sel et poivre du moulin
2 feuilles de pâte phyllo
¼ t. de beurre fondu

PRÉPARATION : Dans un bol, déposer le pesto de basilic. Ajouter les queues de langoustines. Remuer pour bien les enrober. Assaisonner de sel et de poivre. Déposer les feuilles de pâte phyllo sur un plan de travail et les découper en 6 ou 8 carrés. Placer une queue de langoustine sur chacun des carrés et bien refermer la pâte. Badigeonner la pâte de beurre fondu à l'aide d'un pinceau. Déposer sur une plaque de cuisson. Cuire au four 10 à 15 minutes à 180 °C/350 °F.

 Servir chaud sur quelques feuilles de basilic déposées sur un plat de service.

AUTRE RECETTE :
• Petits triangles de bette à carde en pâte phyllo (page 23)

PÂTÉ DE CAMPAGNE

Pain campagnard au pâté de campagne

30 min

1 gros pain de campagne
1 t. de pâté de campagne

¹/₃ t. de cornichons salés, en rondelles

PRÉPARATION : Découper le dessus du pain de campagne à l'aide d'un couteau à pain. Réserver la croûte entière. Retirer la mie intérieure en un seul coup. Trancher la mie en rondelles de 1 cm d'épaisseur. Étaler du pâté de campagne sur chaque rondelle de mie et placer quelques rondelles de cornichon sur le dessus. Refermer les tranches de pain en petits sandwichs et les découper en morceaux. Placer les sandwichs dans le pain de campagne évidé et refermer avec le chapeau du pain.

Servir au centre de la table avec des cure-dents.

PÂTE DE TOMATE

Pizza express

15 min

1 c. à soupe de pâte de tomate
¼ t. d'eau

1 pincée d'origan séché
1 pain pita
½ t. de mozzarella, râpée

PRÉPARATION : Dans un bol, déposer la pâte de tomate et verser l'eau. Ajouter la pincée d'origan. Bien mélanger. Placer le pain pita sur un plan de travail. Étaler la sauce tomatée sur le pain et parsemer de mozzarella. Déposer sur une plaque de cuisson. Cuire 5 à 10 minutes au four à 180 ºC/350 ºF.

Confectionner au goût une pizza express pour apéritif en y ajoutant olives, feuilles de basilic, bacon ou autres ingrédients. Découper en petits carrés et servir.

PÂTE FEUILLETÉE

Pailles fromagères

15 min

1 fond de pâte feuilletée
1 filet d'huile d'olive

1 pincée d'herbes de Provence, séchées
1 t. de gruyère, râpé

PRÉPARATION : Déposer la pâte feuilletée sur le plan de travail et l'étaler à l'aide d'un rouleau à pâtisserie. Napper la surface de la pâte d'huile d'olive. Parsemer les herbes de Provence et le gruyère râpé sur toute la surface. Découper de fines bandes dans le sens de la longueur et les déposer sur une plaque de cuisson. Cuire au four 8 à 10 minutes à 180 ºC/350 ºF.

 Déposer les pailles fromagères à l'intérieur d'un grand verre. Servir.

PÂTE SABLÉE

Petits sablés aux amandes et cumin

25 min

⅓ t. d'amandes grillées salées, concassées
1 c. à thé de cumin

1 pincée de fleur de sel
Poivre du moulin
1 rouleau de pâte sablée

PRÉPARATION : Dans un bol, déposer les amandes, le cumin, la fleur de sel et le poivre. Mélanger et incorporer à la pâte sablée. Abaisser la pâte jusqu'à une épaisseur de 2,5 cm. Découper des palets de pâte parfumée à l'aide d'un emporte-pièce. Déposer sur une plaque de cuisson. Cuire au four 10 à 15 minutes à 180 °C/350 °F.

 Servir bien chauds.

PÂTISSON

Pâtisson farci d'une duxelles

40 min

1 gros pâtisson
1 filet d'huile d'olive
Sel et poivre du moulin
2 t. de champignons de Paris, hachés

2 échalotes françaises, ciselées
1 c. à soupe de beurre
¼ t. de vin blanc

PRÉPARATION : Découper le haut du pâtisson pour créer une ouverture. Y verser l'huile d'olive. Assaisonner de sel et de poivre. L'envelopper d'une feuille de papier d'aluminium. Cuire au four 30 minutes à 180 °C/350 °F. Sortir du four et évider le pâtisson. Hacher la chair et réserver. Dans une poêle, faire revenir les champignons et les échalotes dans le beurre. Déglacer avec le vin blanc. Incorporer la chair de pâtisson et laisser mijoter à feu doux. Rectifier l'assaisonnement.

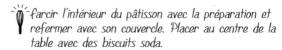 *Farcir l'intérieur du pâtisson avec la préparation et refermer avec son couvercle. Placer au centre de la table avec des biscuits soda.*

PERSIL

Croquettes de pomme de terre au persil

30 min

2 t. de purée de pomme de terre	1 c. à soupe de jus de citron
Sel et poivre du moulin	2 gousses d'ail, hachées
1 filet d'huile d'olive	¼ t. de persil, haché
	2 œufs

PRÉPARATION : Dans un bol, déposer la purée de pomme de terre. Assaisonner de sel et de poivre. Verser l'huile d'olive et le jus de citron. Bien mélanger. Incorporer l'ail, le persil et les œufs. Confectionner des quenelles à l'aide de deux cuillères à thé. Déposer les quenelles sur une plaque de cuisson. Cuire au four à 180 °C/350 °F jusqu'à coloration.

 Servir les croquettes accompagnées de sauces à trempette.

PESTO

Fromage à la crème au pesto

15 min

1 t. de fromage à la crème	Sel et poivre du moulin
¼ t. de pesto	$1/3$ t. de tomates séchées

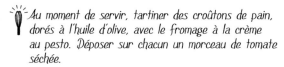

PRÉPARATION : Dans un bol, déposer le fromage à la crème et le pesto. Assaisonner de sel et de poivre. Bien remuer jusqu'à l'obtention d'une préparation lisse et homogène. Conserver à température ambiante.

 Au moment de servir, tartiner des croûtons de pain, dorés à l'huile d'olive, avec le fromage à la crème au pesto. Déposer sur chacun un morceau de tomate séchée.

AUTRES RECETTES :
- Crostini de langoutisne au pesto (page 66)
- Flétan en croûte de pesto (page 52)
- Langoustines au pesto en pâte phyllo (page 83)
- Pesto en trempette aux noix de Grenoble (page 62)

PETIT POIS

Crème de petits pois à l'érable

1 échalote française, ciselée
1 filet d'huile d'olive
1 t. de petits pois
½ t. de bouillon de légumes

1 t. de crème 15 %
Sel et poivre du moulin
1 c. à soupe de sirop
  d'érable

25 min

PRÉPARATION : Dans une casserole, faire revenir l'échalote dans l'huile d'olive. À coloration, ajouter les petits pois. Laisser mijoter 2 à 3 minutes. Verser le bouillon de légumes et la crème. Assaisonner de sel et de poivre. Cuire à feu doux 10 minutes. Retirer et mixer. Conserver au frais.

Verser la préparation dans des verres à shooter, puis ajouter quelques gouttes de sirop d'érable sur le dessus.

PÉTONCLE

Pétoncles en croûte de noix

1 t. de petits pétoncles
Sel et poivre du moulin
2 filets d'huile d'olive

½ t. de mélange de noix
  torréfiées, concassées
1 c. à thé de romarin,
  finement haché

20 min

PRÉPARATION : Déposer les pétoncles sur une assiette. Assaisonner de sel et de poivre. Les arroser d'un filet d'huile d'olive. Dans une autre assiette, déposer les noix et le romarin. Rouler les pétoncles dans le mélange de noix et les enrober complètement. Dans une poêle, cuire les pétoncles 1 minute de chaque côté dans un filet d'huile d'olive.

 Servir les bébés pétoncles en croûte de noix bien chaudes accompagnées de cure-dents et d'un bol de sauce soya ou hoisin.

PIEUVRE

Pieuvre à la méditerranéenne

20 min

1 t. de pieuvre cuite, en rondelles
Huile d'olive
Quelques gouttes de vinaigre de vin blanc
1 c. à soupe de tomates confites, hachées

2 c. à soupe de jus de citron
1 c. à soupe de câpres
3 c. à soupe d'olives vertes, dénoyautées, hachées
2 c. à soupe d'oignon rouge, finement émincé
Sel et poivre du moulin

PRÉPARATION : Dans une poêle, faire revenir les rondelles de pieuvre dans un filet d'huile d'olive. À coloration, déglacer avec le vinaigre de vin blanc. Dans un bol, déposer les tomates, le jus de citron, les câpres, les olives et l'oignon. Assaisonner de sel et de poivre. Déposer les rondelles de pieuvre et recouvrir à hauteur avec de l'huile d'olive. Bien mélanger. Laisser reposer au frais.

 Servir la salade de pieuvre dans des cuillères chinoises. Des légumineuses peuvent être ajoutées.

PLEUROTE (CHAMPIGNON)

Pleurotes marinés

25 min

2 t. de pleurotes
1 filet d'huile d'olive
3 gousses d'ail, pelées, coupées en 2
Sel et poivre du moulin

1 branche de thym
3 c. à soupe de noix de pin
¼ t. de vinaigre de vin rouge
1 t. d'huile d'olive

PRÉPARATION : Dans une poêle, faire revenir les pleurotes dans un filet d'huile d'olive. Ajouter l'ail. Assaisonner de sel et de poivre. Ajouter la branche de thym et les noix de pin. Arroser la préparation de vinaigre de vin rouge. Retirer la poêle du feu et verser l'huile d'olive. Laisser mariner à température ambiante jusqu'à ce que la préparation soit froide. Rectifier l'assaisonnement.

 Présenter les pleurotes marinés dans un pot de type Masson avec des piques à brochettes pour que les convives puissent se servir.

POIREAU

Tronçons de poireau vinaigrette

1 poireau, blanc et vert séparés
Huile végétale

Quelques gouttes de vinaigre de xérès
1 filet d'huile d'olive
Sel et poivre du moulin

30 min

PRÉPARATION : Dans une casserole d'eau bouillante salée, plonger le blanc de poireau et cuire 5 à 10 minutes. Retirer. Conserver au frais. Trancher le vert de poireau en bâtonnets. Chauffer l'huile et y plonger le vert de poireau. À coloration, retirer et égoutter sur un papier absorbant. Trancher le blanc de poireau en tronçons d'environ 2,5 cm. Dans un bol, verser le vinaigre de xérès et l'huile d'olive. Assaisonner de sel et de poivre. Tremper les tronçons de blanc de poireau dans la vinaigrette.

 Au moment de servir, déposer les verts de poireau frits sur les blancs de poireau.

POIS CASSÉ

Sauté de pois cassés au chorizo

25 min

¼ t. de chorizo, en brunoise
1 gousse d'ail, hachée
1 filet d'huile d'olive
1 t. de pois cassés cuits

Sel et poivre du moulin
Quelques gouttes de vin blanc
1 pincée d'herbes de Provence

PRÉPARATION : Dans une poêle, faire revenir le chorizo et l'ail dans l'huile d'olive. Incorporer les pois cassés. Assaisonner de sel et de poivre. Déglacer avec le vin blanc. Parfumer la préparation avec les herbes de Provence. Laisser mijoter 10 à 15 minutes à feu doux.

Servir la préparation bien chaude déposée dans de belles feuilles d'endive croquantes.

POIS CHICHE

Hummus rapide

40 min

1 t. de pois chiches en conserve	Sel et poivre du moulin
2 gousses d'ail, hachées	1 pincée de piment fort ou
¼ t. de jus de légumes	quelques gouttes de
Jus de 1 citron	sauce Tabasco
	6 c. à soupe d'huile d'olive

PRÉPARATION : Déposer dans le bol d'un robot culinaire les pois chiches et l'ail. Verser le jus de légumes et le jus de citron. Assaisonner de sel et de poivre. Ajouter le piment fort ou la sauce Tabasco. Mixer la préparation jusqu'à l'obtention d'une préparation lisse et homogène. Conserver au frais jusqu'au moment de servir.

Placer l'hummus dans un petit bol. Servir cette trempette au centre d'une assiette de service avec des légumes crus tout autour.

POIS GOURMAND

Émincé de pois gourmands au sésame

15 min

1 t. de pois gourmands, émincés dans le sens de la longueur	Quelques gouttes de jus de citron
1 c. à soupe de graines de sésame blanc	1 filet d'huile de sésame
	Sel et poivre du moulin

PRÉPARATION : Dans un bol, déposer les pois et les graines de sésame blanc. Arroser de jus de citron et d'huile de sésame. Assaisonner de sel et de poivre. Bien mélanger. Conserver au frais jusqu'au moment de servir.

Déposer la préparation sur des biscottes.

POIVRON

Tapenade de poivron grillé

2 poivrons rouges
2 filets d'huile d'olive
2 c. à soupe de noix de pin
1 gousse d'ail, hachée

1 c. à soupe de basilic, haché
Sel et poivre du moulin

45 min

PRÉPARATION : Déposer les poivrons sur une plaque de cuisson. Les arroser d'un filet d'huile d'olive. Cuire au four 35 à 45 minutes à 180 °C/350 °F. Placer immédiatement dans un sac de plastique. Fermer hermétiquement et agiter le sac pour retirer la peau des poivrons. Couper la chair des poivrons grossièrement et retirer les graines. Déposer la chair dans un bol à mixer. Ajouter les noix de pin, l'ail, le basilic et un filet d'huile d'olive. Assaisonner de sel et de poivre. Mixer jusqu'à l'obtention d'une préparation lisse et homogène. Conserver au frais jusqu'au moment de servir.

Placer la tapenade de poivron grillé à l'intérieur d'un poivron rouge cru, coupé en 2. Il servira à égayer les trempettes.

POLENTA

Frites de polenta

2 t. d'eau
½ t. de polenta
2 c. à soupe d'huile d'olive
¼ t. de parmesan en poudre

Sel et poivre du moulin
1 c. à soupe de ciboulette, ciselée
1 filet d'huile végétale

45 min

PRÉPARATION : Dans une casserole, verser l'eau et porter à ébullition. Ajouter la polenta et remuer continuellement. Incorporer l'huile d'olive et le parmesan. Assaisonner de sel et de poivre. Une fois l'eau complètement absorbée, retirer du feu et incorporer la ciboulette. Verser la préparation dans un plat à gratin. Laisser reposer 15 à 20 minutes au frais. Démouler la polenta une fois bien figée. Découper la préparation en bâtonnets de la taille d'une frite. Dans une poêle, faire colorer les bâtonnets dans l'huile végétale.

Servir bien chaud. Accompagner les frites de polenta de sauces au choix.

P

POMME DE TERRE

Pelures de pomme de terre au paprika

25 min

2 pommes de terre
Huile végétale

Sel et poivre du moulin
½ c. à thé de paprika

PRÉPARATION : À l'aide d'un économe, peler complètement les pommes de terre. Dans un bol d'eau froide, déposer les pelures. Chauffer l'huile. Retirer les pelures et égoutter. Plonger les pelures dans l'huile. Retirer et égoutter sur un papier absorbant. Assaisonner de sel et de poivre. Saupoudrer de paprika.

Présenter les pelures de pomme de terre dans un plat de service ou dans des petits cornets de papier confectionnés à la main.

AUTRES RECETTES :
- Croquettes de pomme de terre au persil (page 86)
- Petits puits de pomme de terre à la saucisse (page 102)

POMME DE TERRE RATTE

Rattes en robe des champs et prosciutto

40 min

1 t. de pommes de terre
ratte cuites, avec pelure,
coupées en 2 dans le
sens de la longueur

6 tranches de prosciutto,
coupées en 2
½ t. de mozzarella, en
tranches

PRÉPARATION : Enrouler chaque demi-pomme de terre avec une fine tranche de prosciutto. Déposer sur une plaque de cuisson. Placer une tranche de mozzarella sur chacune. Cuire au four à 180 °C/350 °F jusqu'à ce que le fromage soit gratiné.

Servir bien chaudes comme des miniraclettes au fromage.

POMME VERTE

Fines tranches de pomme verte et crème à l'aneth

15 min

¼ t. de crème sure
1 filet d'huile d'olive
1 c. à soupe d'aneth, hachée

Sel et poivre du moulin
2 pommes vertes
Jus de 1 citron

PRÉPARATION : Dans un bol, déposer la crème sure, l'huile d'olive et l'aneth. Assaisonner de sel et de poivre. Bien remuer. Conserver au frais. Couper une pomme en fines tranches et éliminer les pépins. Arroser les tranches de jus de citron et les conserver dans un bol d'eau froide.

Au moment de servir, creuser l'autre pomme verte. Remplir la cavité de crème à l'aneth. La déposer sur une assiette de service et placer tout autour les fines tranches de pomme.

PORC (CUBES)

Brochettes de porc aux pommes et à l'érable

1 t. de porc, en cubes
½ t. de pommes, en cubes
Sel et poivre du moulin
1 c. à soupe de beurre

2 c. à soupe de sirop d'érable
2 c. à soupe de vinaigre de xérès

35 min

PRÉPARATION : Embrocher les cubes de porc et de pomme en alternance sur des cure-dents pour obtenir des minibrochettes. Assaisonner de sel et de poivre. Dans une poêle, colorer les brochettes dans le beurre. Verser le sirop d'érable et le vinaigre de xérès. Retirer une fois les brochettes caramélisées.

Piquer les minibrochettes sur une pomme pour la présentation.

AUTRE RECETTE :
• Filet mignon de porc caramélisé (page 65)

PORCINI (CHAMPIGNON)

Crémeux de porcini façon cappuccino

1 échalote française, ciselée
1 t. de champignons porcini, hachés
1 filet d'huile d'olive

Sel et poivre du moulin
1 t. de bouillon de légumes
½ t. de crème 15 %
¼ t. de crème 35 %

40 min

PRÉPARATION : Dans une casserole, faire revenir l'échalote et les champignons dans l'huile d'olive. Assaisonner de sel et de poivre. Verser le bouillon de légumes et laisser mijoter 10 minutes à feux doux. Incorporer la crème 15 % et cuire 10 minutes supplémentaires. Mixer la préparation. Réserver. Dans un bol, fouetter la crème 35 % à l'aide d'un fouet pour confectionner une Chantilly. Assaisonner de sel et de poivre.

 Verser la crème de porcini chaude dans des verres à shooter. Terminer en recouvrant d'une petite cuillerée de Chantilly. Déguster le cappuccino bien chaud.

PORTOBELLO (CHAMPIGNON)

Tartelettes de portobello au chèvre gratiné

40 min

2 gros portobello	1 c. à soupe de basilic, haché
2 filets d'huile d'olive	
Sel et poivre du moulin	1 c. à soupe de noix de pin
¾ t. de fromage de chèvre	1 filet de vinaigre balsamique

PRÉPARATION : Retirer les pieds des champignons. Les hacher finement. Dans une poêle, les faire revenir dans un filet d'huile d'olive. Réserver. Déposer les deux gros champignons sur une plaque de cuisson. Verser un filet d'huile d'olive. Assaisonner de sel et de poivre. Réserver. Dans un bol, déposer le fromage de chèvre et la préparation de champignons cuits. Ajouter le basilic et les noix de pin. Bien remuer. Assaisonner de sel et de poivre. Farcir les champignons avec la préparation et arroser de vinaigre balsamique. Déposer sur une plaque de cuisson. Cuire au four 20 minutes à 180 °C/350 °F.

 Servir chaudes. Couper les tartelettes de portobello en portions individuelles.

POULET (AILES)

Ailes de poulet miel, moutarde et citron

40 min

3 t. d'ailes de poulet	Zeste de 1 citron
Sel et poivre du moulin	¼ t. de moutarde
¼ t. de miel	1 filet d'huile végétale
Jus de 3 citrons	

PRÉPARATION : Dans un grand récipient, déposer les ailes de poulet. Assaisonner de sel et de poivre. Ajouter le miel, le jus et le zeste de citron. Bien mélanger. Incorporer la moutarde. Remuer et laisser mariner au frais 30 à 35 minutes. Dans une grande casserole, faire chauffer l'huile végétale. Y cuire les ailes de poulet jusqu'à coloration. Retirer et égoutter en déposant sur du papier absorbant.

 Pour une touche originale, confectionner des petits cornets avec du papier et y déposer quelques ailes pour le service.

POULET (POITRINE)

Petits cordons-bleus citronnés

2 œufs
¼ t. de lait
1 t. de chapelure
6 fines tranches de poitrine de poulet, coupées en 2
6 tranches de jambon blanc, coupées en 2

6 tranches de gruyère, coupées en 2
Sel et poivre du moulin
1 filet d'huile d'olive
Jus de 1 citron

30 min

PRÉPARATION : Dans un bol, casser les œufs et ajouter le lait. Bien battre les œufs à l'aide d'un fouet. Déposer la chapelure sur une assiette. Réserver. Assaisonner la volaille de sel et de poivre. Déposer les demi-tranches de poitrine de poulet sur un plan de travail. Placer sur chacune, une demi-tranche de jambon et une demi-tranche de gruyère. Rouler et piquer d'un cure-dents. Tremper les cordons-bleus dans la préparation d'œufs, puis dans la chapelure pour les enrober complètement. Laisser reposer 15 à 20 minutes au frais. Dans une poêle, cuire dans l'huile d'olive jusqu'à coloration. Terminer la cuisson au four 10 minutes à 180 °C/350 °F.

Au moment de servir, arroser de jus de citron.

AUTRES RECETTES :
• Brisures de poulet aux canneberges (page 30)
• Jardinière de poulet au curry (page 60)

PRUNEAU

Pruneaux à la pancetta

15 min

12 fines tranches de
    pancetta, en lanières
1 t. de pruneaux secs,
    dénoyautés

PRÉPARATION : Enrouler les pruneaux d'une lanière de pancetta. Piquer chacun avec un cure-dents. Déposer sur une plaque de cuisson. Cuire au four 10 à 15 minutes à 180 ºC/350 ºF.

Présenter les petites brochettes de pruneaux à la pancetta dans une panière.

QUINOA

Salade de quinoa aux crevettes et feta

25 min

1 t. de bouillon de légumes
1 t. de quinoa
¼ t. de petites crevettes
    décortiquées
Jus de 1 citron
1 filet d'huile d'olive

3 c. à soupe de feta, en dés
1 c. à soupe de ciboulette,
    ciselée
Sel et poivre du moulin
1 concombre, en tronçons,
    évidés

PRÉPARATION : Dans une casserole, verser le bouillon de légumes et porter à ébullition. Ajouter le quinoa. Retirer une fois le bouillon complètement absorbé. Dans un grand bol, déposer le quinoa cuit et les crevettes. Arroser avec le jus de citron et l'huile d'olive. Incorporer le fromage feta et la ciboulette. Assaisonner de sel et de poivre. Bien mélanger. Conserver au frais jusqu'au moment de servir.

Farcir les tronçons de concombre évidés de salade de quinoa.

RADIS

Petits radis en fleurs

15 min

1 t. de radis longs
2 t. de glaçons

¼ t. de beurre
Fleur de sel

PRÉPARATION : À l'aide d'un couteau d'office, tailler plusieurs petites croix de l'extrémité de chaque radis jusqu'à mi-hauteur. Dans un bol d'eau froide, déposer les glaçons. Y plonger les radis pour qu'ils s'ouvrent complètement comme une fleur. Retirer les radis et les égoutter.

Présenter dans un plat de service en plaçant une coupelle de beurre et une coupelle de fleur de sel à proximité.

RAIE

Chair de raie aux câpres

25 min

1 t. de chair de raie
2 c. à soupe de petites
   câpres
Jus de ½ citron

1 filet d'huile d'olive
2 c. à soupe de tomate,
   en dés
Sel et poivre du moulin

PRÉPARATION : Dans une casserole d'eau bouillante, faire pocher la chair de raie. Retirer et égoutter. Émietter à l'aide d'une fourchette. Ajouter les câpres et arroser de jus de citron. Verser l'huile d'olive. Incorporer les tomates au mélange. Assaisonner de sel et de poivre. Bien mélanger et conserver au frais.

Cette préparation peut être servie déposée sur des rondelles de pommes de terre ou être utilisée pour farcir des tomates cerises.

RAISIN

Bonbons de raisin au bleu et aux noix

20 min

1 t. de raisins blancs ou
   noirs
$^1/_3$ t. de fromage bleu

¼ t. de beurre
½ t. de noix de Grenoble, en
   brisures

PRÉPARATION : Dans un bol, déposer le fromage bleu et le beurre. Écraser à l'aide d'une fourchette jusqu'à l'obtention d'une pommade. Déposer les noix sur une assiette. Enrober les raisins de préparation fromagère, puis les rouler dans les noix pour les recouvrir complètement. Conserver au frais.

 Présenter les bonbons de raisin au bleu et aux noix sur un lit de feuilles de basilic déposé sur un plat de service.

AUTRES RECETTES :
- Aumônières de saumon, chèvre et raisins (page 104)
- Bleu aux noix et raisins (page 55)

RAPINI

Semoule de rapini pour taboulé

20 min

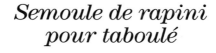

1 t. de fleurs de rapini	1 c. à soupe de raisins de Corinthe
2 c. à soupe de tomate, en dés	Quelques gouttes de sauce Tabasco
2 c. à soupe de concombre, en dés	Jus de 1 citron
1 c. à soupe de basilic, finement haché	1 filet d'huile d'olive
	Sel et poivre du moulin

PRÉPARATION : Rincer le rapini sous l'eau et le hacher finement comme une semoule. Dans un bol, déposer le rapini et ajouter les dés de tomate et de concombre. Incorporer le basilic et les raisins de Corinthe. Verser quelques gouttes de sauce Tabasco, le jus de citron, puis l'huile d'olive. Assaisonner de sel et de poivre. Bien mélanger. Conserver au frais.

 Déposer une portion de semoule sur des feuilles d'endive et servir.

RISOTTO

Arancini au parmesan

30 min

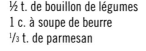

1 t. de risotto cuit	Sel et poivre du moulin
½ t. de bouillon de légumes	2 œufs
1 c. à soupe de beurre	1 t. de chapelure
⅓ t. de parmesan	Huile végétale

PRÉPARATION : Dans une casserole, déposer le risotto et le bouillon de légumes. Incorporer le beurre et le parmesan. Assaisonner de sel et de poivre. Bien remuer. Retirer du feu. Laisser reposer au frais. Lorsque la préparation est complètement froide, confectionner des petites boules en roulant un peu de risotto à la fois dans le creux des mains. Dans un bol, casser les œufs. Battre à l'aide d'un fouet. Placer la chapelure sur une assiette. Tremper les boules dans la dorure, puis les rouler dans la chapelure pour les enrober complètement. Chauffer l'huile et y plonger les arancini jusqu'à coloration. Retirer et égoutter sur un papier absorbant.

 Servir les arancini au parmesan dans des cornets en papier confectionnés à la main.

ROMAINE (LAITUE)

Salade César dans sa feuille

1 salade romaine
1 t. de sauce à salade César
1 c. à soupe de bacon cuit, haché
1 c. à soupe de filets d'anchois

1 c. à soupe de croûtons de pain
1 c. à soupe de parmesan, râpé

15 min

PRÉPARATION : Rincer les feuilles de salade romaine et les diviser en 2 dans le sens de la largeur. Sur chacune des demi-feuilles, verser un peu de sauce à salade César. Ajouter le bacon et les filets d'anchois. Terminer avec les croûtons de pain et le parmesan.

 Servir bien frais sur un grand plat de service.

ROQUETTE

Tartare de canard aux feuilles de roquette

1 t. de chair de magret de canard, hachée
1 t. de feuilles de roquette, hachées
2 c. à soupe de noix de pin
Jus de ½ citron
1 filet d'huile d'olive

1 filet de caramel de balsamique (vinaigre balsamique réduit)
Sel et poivre du moulin
2 c. à soupe de cheddar, émietté

20 min

PRÉPARATION : Dans un bol, déposer la chair de canard, la roquette et les noix de pin. Arroser de jus de citron. Verser l'huile d'olive et le caramel de balsamique. Assaisonner de sel et de poivre. Incorporer le cheddar. Bien mélanger. Conserver au frais.

Garnir des petits croûtons de pain grillé de tartare de canard aux feuilles de roquette et servir.

AUTRE RECETTE :
• Roulés de bavette au balsamique et roquette (page 25)

RUTABAGA

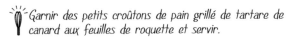

Sauté de rutabaga aux arachides

30 min

1 t. de rutabaga, en dés	Sel et poivre du moulin
1 noix de beurre	Eau
3 c. à soupe de miel	$\frac{1}{3}$ t. d'arachides, grillées
6 c. à soupe de vinaigre de xérès	

PRÉPARATION : Dans une poêle, faire revenir le rutabaga dans le beurre. À coloration, ajouter le miel et le vinaigre de xérès. Assaisonner de sel et de poivre. Verser quelques filets d'eau pour terminer la cuisson. Incorporer les arachides à la toute fin.

Servir chaud dans des cuillères chinoises.

SALAMI

Wraps au salami

20 min

4 pains à tortillas	2 c. à soupe de cornichons, hachés
2 c. à soupe de mayonnaise	
12 fines tranches de salami	1 t. de feuilles de salade romaine, hachées
1 tomate, en rondelles	

PRÉPARATION : Placer les pains à tortillas sur un plan de travail. Les tartiner de mayonnaise. Déposer sur chacun des tranches de salami. Ajouter des rondelles de tomate et des cornichons. Terminer avec la salade. Enrouler les pains à tortillas.

Trancher les wraps en rondelles et piquer chacune avec un cure-dents. Servir sur une planche de bois.

SALICORNE

Salicorne aux framboises et œufs de caille

20 min

6 œufs de caille
1 t. de salicorne
Jus de 1 citron
½ échalote française, ciselée

1 filet d'huile d'olive
Quelques gouttes de vinaigre de framboise
Sel et poivre du moulin
$1/3$ t. de framboises fraîches

PRÉPARATION: Dans une casserole d'eau bouillante, cuire les œufs de caille. Écailler les œufs et les couper en 2. Réserver. Dans un bol, déposer la salicorne et verser le jus de citron. Incorporer l'échalote. Ajouter l'huile d'olive et le vinaigre de framboise. Assaisonner de sel et de poivre. Bien mélanger. Terminer avec les framboises et les œufs de caille. Remuer.

 Servir la salade dans des cuillères chinoises ou tout simplement dans un demi-avocat dénoyauté et évidé.

SALSIFIS

Bâtons de salsifis au bacon fumé

35 min

1 t. de salsifis cuits
1 c. à soupe de beurre
Sel et poivre du moulin
¼ t. de vin blanc
6 tranches de bacon fumé, coupées en 2

3 c. à soupe de moutarde
Sel et poivre
¾ t. de feuilles de basilic
Pâte feuilletée

PRÉPARATION: Dans une poêle, faire revenir les salsifis dans le beurre à feu doux jusqu'à coloration. Assaisonner de sel et de poivre. Déglacer avec le vin blanc et laisser mijoter jusqu'à évaporation du vin. Retirer les salsifis et les couper en bâtonnets. Enrouler chacun d'une tranche de bacon fumé. Déposer sur une plaque de cuisson. Terminer la cuisson au four 15 minutes à 180 ºC/ 350 ºF.

 Déposer les bâtons de salsifis sur des petits pains grillés et servir.

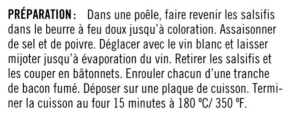

SARDINE

Sardines à la fleur de sel

6 à 12 filets de sardine
1 filet d'huile d'olive
1 gousse d'ail, hachée

3 c. à soupe de vinaigre de
vin rouge
Poivre du moulin
1 pincée de fleur de sel

20 min

PRÉPARATION: Dans une poêle, cuire les sardines côté chair et l'ail dans l'huile d'olive. À mi-cuisson, arroser de vinaigre de vin rouge. Assaisonner de poivre. Terminer avec une pincée de fleur sel.

 Déposer les filets sur des croûtons de pain grillé.

SAUCISSE

Petits puits de pomme de terre à la saucisse

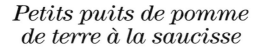

6 petites pommes de terre,
pelées, coupées en 2
2 filets d'huile d'olive
Sel et poivre du moulin

¾ t. de saucisse,
en rondelles
1 pincée d'herbes de
Provence

35 min

PRÉPARATION: Creuser un trou à l'intérieur des moitiés de pommes de terre pour former un puits. Y verser un filet d'huile d'olive. Assaisonner de sel et de poivre. Déposer sur une plaque de cuisson. Cuire au four 25 à 30 minutes à 180 °C/ 350 °F. Retirer du four et ajouter les saucisses dans les puits. Parsemer d'herbes de Provence et verser un filet d'huile d'olive. Rectifier l'assaisonnement et terminer la cuisson au four 10 minutes supplémentaires à la même température.

 Pour obtenir des bouchées agréables à déguster, les petites pommes de terre sont préférables à celles de grosse taille.

AUTRE RECETTE:
• Petits pains fourrés à la saucisse (page 81)

SAUCISSON

Clafoutis au saucisson

½ t. de farine
1 c. à thé de poudre à pâte
2 œufs
½ t. de lait
1 filet d'huile d'olive

¼ t. de gruyère, râpé
6 à 8 tranches de saucisson
ou salami, hachées
Sel et poivre du moulin

30 min

PRÉPARATION : Dans un bol, déposer la farine et la poudre à pâte. Ajouter les œufs. Mélanger en versant le lait peu à peu. Ajouter l'huile d'olive et le gruyère. Terminer avec la viande. Assaisonner de sel et de poivre. Laisser reposer 10 à 15 minutes. Verser dans des moules individuels. Cuire au four 15 à 20 minutes à 180 °C/ 350 °F.

Servir chaud sous forme de clafoutis individuels ou en cake tranché.

SAUMON

Tartare de saumon à l'avocat

1 t. de saumon, finement
haché
1 avocat, dénoyauté, évidé,
en cubes
1 c. à soupe d'olives vertes,
dénoyautées, hachées
2 c. à soupe de noix de pin

1 c. à soupe de ciboulette,
ciselée
Jus de 1 citron
1 filet d'huile d'olive
Quelques gouttes de
vinaigre de vin rouge
Sel et poivre du moulin

20 min

PRÉPARATION : Dans un bol, déposer le saumon et la chair d'avocat. Incorporer les olives, les noix de pin et la ciboulette. Arroser de jus de citron. Verser l'huile d'olive et le vinaigre de vin rouge. Assaisonner de sel et de poivre. Bien mélanger. Conserver au frais jusqu'au moment de servir.

Présenter le tartare de saumon dans des petites cuillères chinoises.

AUTRES RECETTES :
- Ceviche de saumon à l'orange et à l'aneth (page 79)
- Cubes de saumon sauce aux arachides (page 24)
- Tartare de saumon dans une lime (page 67)

SAUMON FUMÉ

Aumônières de saumon, chèvre et raisins

⏱ 25 min

❄

6 tranches de saumon fumé, coupées en 2
¼ t. de fromage de chèvre, en cubes

3 c. à soupe de raisins rouges, en rondelles
1 filet d'huile d'olive
Sel et poivre du moulin
12 tiges de ciboulette

PRÉPARATION : Placer les demi-tranches de saumon sur un plan de travail. Dans un petit bol, déposer les cubes de fromage de chèvre et les raisins. Ajouter l'huile d'olive. Assaisonner de sel et de poivre. Bien mélanger la préparation. Placer une petite portion de la préparation au centre de chaque demi-tranche de saumon fumé. Former de petites aumônières (sacs) en remontant le saumon non recouvert de préparation. Nouer une tige de ciboulette autour de chacune pour bien fermer.

Servir les aumônières placées sur des biscottes.

AUTRES RECETTES :
- Aumônières de saumon fumé au fromage à la crème (page 54)
- Roses de saumon fumé et beurre aux câpres sur blinis (page 25)

SEMOULE

Taboulé au concombre

⏱ 25 min

🔥

1 concombre entier, pelé
½ t. de semoule
1 filet d'huile d'olive
Quelques gouttes de vinaigre de vin rouge

Sel et poivre du moulin
¼ t. d'eau
1 c. à soupe de ciboulette ou de coriandre, hachée

PRÉPARATION : Réserver une moitié de concombre et hacher finement l'autre moitié. Dans un bol, déposer la semoule. Verser l'huile d'olive et le vinaigre de vin rouge. Assaisonner de sel et de poivre. Dans une casserole, porter l'eau à ébullition. Y déposer la semoule. Bien mélanger et laisser reposer. Incorporer le concombre haché et la ciboulette ou la coriandre. Rectifier l'assaisonnement.

Couper l'autre moitié du concombre en tronçons et creuser l'intérieur à l'aide d'une petite cuillère. Farcir les cavités de semoule au concombre. Servir bien frais en petites bouchées.

AUTRE RECETTE :
• Roses de saumon fumé et beurre aux câpres sur blinis (page 25)

SHIITAKE (CHAMPIGNON)

Shiitakes gratinés à la ricotta

25 min

1 t. de shiitakes
2 filets d'huile d'olive
Sel et poivre du moulin
½ t. de fromage ricotta

1 c. à soupe de coriandre, hachée
1 échalote française, ciselée

PRÉPARATION : Déposer les champignons sur une plaque de cuisson et arroser d'un filet d'huile d'olive. Assaisonner de sel et de poivre. Dans un bol, déposer le fromage ricotta, la coriandre et l'échalote. Verser un filet d'huile d'olive. Bien mélanger. Farcir les champignons de la préparation de fromage. Cuire au four 10 à 15 minutes à 180 °C/350 °F. Retirer une fois gratiné.

Présenter les champignons farcis sur une planche de bois.

SIROP D'ÉRABLE

Trempette érable et huile de truffe

20 min

1 t. de crème sure
1 c. à soupe d'huile de truffe
3 c. à soupe de sirop d'érable

Quelques gouttes de vinaigre de pomme
Sel et poivre du moulin

PRÉPARATION : Dans un bol, déposer la crème sure. Verser l'huile de truffe, le sirop d'érable et le vinaigre de pomme. Assaisonner de sel et de poivre. Bien mélanger. Conserver au frais jusqu'au moment de servir.

Servir la sauce à trempette avec des crudités.

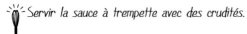

Carrés de sole à la compotée de tomate

2 tomates bien mûres, concassées
1 échalote française, ciselée
1 gousse d'ail, hachée
2 filets d'huile d'olive
1 c. à soupe de pâte de tomate

1 pincée d'herbes de Provence
Quelques gouttes de vin blanc
Sel et poivre du moulin
1 t. de filets de sole, en carrés de 2 cm

40 min

PRÉPARATION : Dans une poêle, faire revenir les tomates, l'échalote et l'ail dans un filet d'huile d'olive. Ajouter la pâte de tomate et les herbes de Provence. Déglacer avec le vin blanc. Assaisonner de sel et de poivre. Laisser mijoter 15 à 20 minutes jusqu'à l'obtention d'une compotée. Dans une poêle, saisir les carrés de sole dans un filet d'huile d'olive.

 Disposer la préparation de compotée sur des croûtons de pain. Surmonter chacun d'un carré de sole. À déguster bien chauds.

SORBET AU CITRON

Rince-bouche

¾ t. de sorbet au citron
2 c. à soupe de saumon fumé, haché

¼ t. de vodka
1 branche d'aneth

15 min

PRÉPARATION : Déposer une boule de sorbet au citron au fond de verres à shooter. Placer au-dessus quelques morceaux de saumon fumé et remplir les verres de vodka. Déposer sur la surface une pluche d'aneth. Servir bien glacé.

 Mettre à disposition des convives des petites cuillères à thé pour la dégustation.

SOYA

Fèves sautées aux arachides

1 t. de fèves de soya
1 filet d'huile d'olive
1 c. à soupe de sauce soya

1 c. à soupe de sauce hoisin
Sel et poivre du moulin
¼ t. d'arachides, grillées

20 min

PRÉPARATION : Dans une poêle, faire revenir les fèves de soya dans l'huile d'olive. Déglacer avec la sauce soya et la sauce hoisin. Assaisonner de sel et de poivre. Ajouter les arachides grillées. Retirer aussitôt.

Servir bien chaudes. Présenter la préparation dans des coupelles avec des petites fourchettes.

SPAGHETTIS

Spaghettis frits comme des grissini

Huile végétale
¼ t. de spaghettis longs
  entiers

1 pincée de paprika
1 c. à soupe de fleur de sel

10 min

PRÉPARATION : Dans une casserole, mettre l'huile végétale à chauffer. À température, déposer les spaghettis et les laisser cuire 15 secondes jusqu'à coloration. Retirer et placer sur un papier absorbant. Saupoudrer immédiatement de paprika et de fleur de sel. Laisser refroidir quelques minutes.

Présenter les spaghettis frits dans un grand verre comme des grissini. Un délice à grignoter.

TÊTE DE VIOLON
(CROSSE DE FOUGÈRE)

Beignets de têtes de violon

¼ t. de fromage de chèvre,
  émietté
1 filet d'huile d'olive
Sel et poivre du moulin
3 gousses d'ail, hachées

¾ t. de farine
2 œufs
¾ t. de bière
1 t. de têtes de violon cuites
Huile végétale

25 min

PRÉPARATION : Dans un bol, déposer le fromage de chèvre et arroser d'huile d'olive. Assaisonner de sel et de poivre. Ajouter l'ail. Remuer et réserver. Dans un grand bol, déposer la farine et ajouter les œufs. Assaisonner de sel et de poivre. Incorporer la bière peu à peu. Mélanger à l'aide d'un fouet. Tremper les têtes de violon dans la pâte à beignets et plonger dans un bain d'huile bien chaude. Cuire jusqu'à coloration. Retirer et égoutter en déposant sur un papier absorbant.

💡 *Servir dans des petits cornets en papier confectionnés à la main.*

THON FRAIS

Tataki de thon au sésame

20 min

1 filet de thon d'environ 180 g (6 oz)	2 filets d'huile d'olive
Sel et poivre du moulin	¼ t. de graines de sésame

PRÉPARATION : Déposer le filet de thon sur une assiette et l'assaisonner de sel et de poivre. Arroser d'un filet d'huile d'olive et rouler dans les graines de sésame sur toute la surface. Laisser reposer 5 minutes au frais. Dans une poêle, colorer le poisson des deux côtés dans un filet d'huile d'olive. Retirer et laisser refroidir avant de trancher très finement.

💡 *Servir le tataki de thon sur des biscottes ou dans une coupelle accompagné d'une salade de carottes râpées.*

THON EN CONSERVE

Rillettes de thon

15 min

2 œufs cuits durs, coquilles retirées	1 c. à soupe de cornichons, hachés
¾ t. de thon en conserve	Jus de ½ citron
¼ t. de mayonnaise	Sel et poivre du moulin

PRÉPARATION : Dans un bol, placer les œufs cuits durs et le thon en conserve. Ajouter la mayonnaise et les cornichons. Arroser de jus de citron. Assaisonner de sel et de poivre. Mixer la préparation. Conserver au frais jusqu'au moment de servir.

💡 *Excellent en guise de trempette pour les crudités et pour confectionner des miniclub sandwichs.*

TILAPIA

Tilapia en papillotes

6 feuilles de papier
   d'aluminium
1 t. de carottes, râpées
1 t. de tilapia, en cubes
1 filet d'huile d'olive
Jus de 1 citron

2 gousses d'ail, hachées
1 pincée de piment fort
2 c. à soupe de beurre
Quelques gouttes de
   vin blanc
Sel et poivre du moulin

35 min

PRÉPARATION : Placer les feuilles d'aluminium sur un plan de travail. Déposer une petite portion de carottes râpées et un cube de tilapia au centre de chacune d'elles. Arroser d'huile d'olive et de jus de citron. Ajouter l'ail et le piment fort. Terminer avec une noix de beurre et quelques gouttes de vin blanc. Refermer délicatement pour former des papillotes. Cuire au four 15 à 20 minutes à 180 °C/350 °F. Servir chaud.

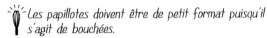

Les papillotes doivent être de petit format puisqu'il s'agit de bouchées.

TOFU FERME

Frites de tofu ferme

1 t. de tofu ferme,
   en bâtonnets
Fleur de sel et poivre
   du moulin

¼ t. d'huile de sésame

20 min

PRÉPARATION : Assaisonner le tofu de fleur de sel et de poivre. Dans une grande poêle, colorer les frites de tofu dans l'huile de sésame. Retirer et égoutter sur un papier absorbant. Rectifier l'assaisonnement.

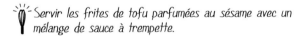

Servir les frites de tofu parfumées au sésame avec un mélange de sauce à trempette.

T

TOFU SOYEUX

Crémeuse à la ratatouille

35 min

¼ t. d'aubergine, en dés
¼ t. de poivron rouge, en dés
¼ t. de courgette, en dés
3 gousses d'ail, hachées
1 échalote française, ciselée

1 filet d'huile d'olive
1 c. à soupe de pâte de tomate
Sel et poivre du moulin
¾ t. de tofu soyeux

PRÉPARATION : Dans une grande poêle, faire revenir l'aubergine, le poivron, la courgette, l'ail et l'échalote dans l'huile d'olive. À coloration, ajouter la pâte de tomate. Assaisonner de sel et de poivre du moulin. Laisser mijoter 10 à 15 minutes à feu doux. Ajouter le tofu soyeux et bien mélanger. Retirer et conserver au frais.

Proposer la crémeuse à la ratatouille comme sauce à trempette avec des biscottes ou des légumes.

TOMATE

Pizzas sur tranches de tomate

20 min

2 grosses tomates, en tranches de 1 cm
2 c. à soupe de jambon, en dés
1 champignon de Paris, émincé finement
1 filet d'huile d'olive

1 c. à soupe d'olives vertes, dénoyautées, hachées
Sel et poivre du moulin
¾ t. de gruyère, râpé
1 pincée d'herbes de Provence

PRÉPARATION : Placer les tranches de tomate sur une plaque de cuisson. Déposer le jambon et les champignons sur les tranches. Arroser d'huile d'olive et parsemer d'olives hachées. Assaisonner de sel et de poivre. Recouvrir les tranches de tomate de gruyère râpé. Parsemer d'herbes de Provence. Cuire au four 10 minutes à 180 ºC/350 ºF.

Poser les tranches de tomate façon pizzas sur des biscottes.

TOMATE CERISE

Bonbons de tomate à la purée d'olive

25 min

½ t. d'olives noires,
dénoyautées
1 filet d'huile d'olive
1 gousse d'ail, hachée

Sel et poivre du moulin
1 t. de tomates cerises,
évidées

PRÉPARATION : Dans un bol, déposer les olives noires, l'huile d'olive et l'ail. Assaisonner de sel et de poivre. Mixer la préparation jusqu'à l'obtention d'une fine purée. Farcir les tomates cerises avec le mélange. Servir bien frais.

Ces tomates cerises peuvent être dégustées comme un bonbon ou être servies déposées sur des tranches de pain grillé, badigeonnées d'huile d'olive et accompagnées d'une feuille de basilic frais.

AUTRES RECETTES :
- Dorade sur croûtons aux tomates cerises et basilic (page 48)
- Tomates cerises mozzarella-basilic en brochettes (page 22)

TOPINAMBOUR

Crème de topinambour au fromage bleu

35 min

1 t. de topinambours, pelés,
en rondelles
1 c. à soupe de beurre
Sel et poivre du moulin

1 t. de crème 15 %
2 c. à soupe de fromage
bleu, émietté

PRÉPARATION : Dans une casserole d'eau bouillante, plonger les topinambours. Retirer à mi-cuisson, égoutter. Dans une casserole, faire revenir les topinambours dans le beurre. Assaisonner de sel et de poivre. Dès coloration, verser la crème. Laisser mijoter jusqu'à cuisson complète. Mixer jusqu'à l'obtention d'une préparation crémeuse. Rectifier l'assaisonnement.

Verser la crème dans des coupelles ou des verres à shooter. Déposer en surface des brisures de fromage bleu.

AUTRE RECETTE :
- Crème d'anchois aux olives vertes et topinambour (page 17)

TRUITE

Rillettes de truite aux amandes

35 min

1 filet de truite
Jus de 1 citron
1 c. à thé de zeste de lime
Quelques gouttes de
     vinaigre blanc
1 c. à soupe d'amandes
     effilées

Sel et poivre du moulin
3 c. à soupe de mayonnaise
1 c. à soupe de ciboulette,
     ciselée

PRÉPARATION : Dans une casserole d'eau bouillante salée, plonger et faire pocher le filet de truite. Dans un bol, déposer le filet de poisson avec le jus de citron et le zeste de lime. Verser le vinaigre blanc et incorporer les amandes. Assaisonner de sel et poivre. Ajouter la mayonnaise. Mixer la préparation. Rectifier l'assaisonnement et ajouter la ciboulette. Remuer. Conserver au frais jusqu'au moment de servir.

Servir les rillettes sur des croûtons de pain grillé ou en tartinade.

VEAU (CUBES)

Brochettes de veau à la crème de champignon

35 min

1 t. de veau, en dés
Sel et poivre du moulin
1 filet d'huile d'olive
1 t. de champignons de
     Paris, hachés

1 échalote française, ciselée
1 c. à soupe de beurre
½ t. de crème 35 %

PRÉPARATION : Embrocher 2 à 3 cubes de veau sur des cure-dents. Assaisonner de sel et poivre. Dans une poêle bien chaude, faire revenir les minibrochettes dans l'huile d'olive. Dans une casserole, faire revenir les champignons et l'échalote dans le beurre. Verser la crème et assaisonner de sel et de poivre. Laisser mijoter 10 à 15 minutes à feu doux. Dans un bol, déposer les champignons. Incorporer la crème obtenue à la poêle contenant les brochettes et terminer la cuisson à petit feu.

Égoutter les minibrochettes, les déposer sur un plat de service et les servir bien chaudes.

VERMICELLES

Salade de vermicelles à la coriandre

1 t. de vermicelles cuits
3 c. à soupe de sauce hoisin
Sel et poivre du moulin

½ c. à soupe de coriandre, hachée
3 c. à soupe de noix de cajou

20 min

PRÉPARATION : Dans un bol, déposer les vermicelles et incorporer la sauce hoisin. Assaisonner de sel et de poivre. Ajouter la coriandre et les noix de cajou. Bien mélanger. Conserver au frais jusqu'au moment de servir.

Servir la salade dans des petits bols asiatiques accompagnés de baguettes.

VIANDE FUMÉE

Feuilletés à la viande fumée

1 carré de pâte feuilletée
2 c. à soupe de moutarde forte
¾ t. de viande fumée, hachée

1 jaune d'œuf
Quelques gouttes d'eau

35 min

PRÉPARATION : Étaler la pâte feuilletée sur une surface de travail. Étendre la moutarde sur la pâte. Déposer la viande fumée au centre. Refermer la pâte feuilletée et découper des petits carrés. Dans un bol, déposer le jaune d'œuf et l'eau. Bien mélanger. Badigeonner les carrés feuilletés de jaune d'œuf battu. Déposer sur une plaque de cuisson. Cuire au four 10 à 15 minutes à 180 °C/350 °F.

Déguster bien chauds. Placer sur une assiette de service avec un petit récipient de moutarde forte à proximité.

15 min

VINAIGRE BALSAMIQUE

Cheddar laqué au balsamique

1 t. de cheddar, en gros
    cubes
Sel et poivre du moulin

⅓ t. de caramel de
    balsamique (vinaigre
    balsamique réduit)

PRÉPARATION : Saupoudrer les cubes de fromage de sel et de poivre. Dans un petit bol, verser la réduction de vinaigre. Piquer les cubes de fromage de cure-dents et les plonger complètement dans le caramel de vinaigre. Déposer sur une assiette et laisser reposer au frais.

 Servir les cubes de cheddar laqué au vinaigre balsamique sur des biscottes.

AUTRES RECETTES :
- Chèvre à la figue et caramel de balsamique (page 55)
- Perles de balsamique à l'huile d'olive citronnée (page 61)
- Roulés de bavette au balsamique et roquette (page 25)
- Tartare de cerf au caramel de balsamique (page 33)

10 min

VINAIGRE DE VIN

Huîtres fraîches au vinaigre aux échalotes

½ t. de vinaigre de
    vin rouge
6 échalotes françaises,
    ciselées

Zeste de ½ citron
6 à 12 petites huîtres
    fraîches, ouvertes

PRÉPARATION : Dans un bol, verser le vinaigre de vin rouge et incorporer les échalotes françaises. Ajouter le zeste de citron. Remuer. Réserver au frais. Au moment de servir, retirer le zeste de citron. Verser 1 c. à soupe de vinaigre aux échalotes dans chacune des coquilles côté huître.

Présenter les huîtres sur une grande assiette recouverte de gros sel.

WASABI

Amandes grillées au wasabi

15 min

1 filet d'huile d'olive
1 t. d'amandes sans peau, grillées

1 c. à soupe de pâte de wasabi
Fleur de sel, au goût

PRÉPARATION: Dans une casserole, verser l'huile d'olive. Y faire revenir les amandes à feu vif. Incorporer la pâte de wasabi. Bien mélanger pour enrober totalement les amandes. Déposer les amandes sur une plaque de cuisson. Cuire au four 10 minutes à 180 °C/350 °F. Retirer et saupoudrer de fleur de sel. Laisser refroidir avant de servir.

 Placer les amandes au wasabi dans une coupelle et servir.

YOGOURT

Trempette aux herbes

15 min

1 c. à soupe de basilic, haché
1 c. à soupe d'estragon, haché
1 c. à soupe d'aneth, hachée
1 c. à soupe de ciboulette, ciselée

1 filet d'huile d'olive
Sel et poivre du moulin
Jus de 1 citron
Quelques gouttes de sauce Tabasco
1 t. de yogourt nature
1 c. à soupe d'ail, haché

PRÉPARATION: Dans un bol à mélanger, déposer le basilic, l'estragon, l'aneth et la ciboulette. Verser l'huile d'olive. Assaisonner de sel et de poivre. Ajouter le jus de citron et la sauce Tabasco. Remuer. Incorporer le yogourt. Bien mélanger. Terminer avec l'ail. Rectifier l'assaisonnement. Conserver au frais jusqu'au moment de servir.

 Une sauce idéale pour la trempette de crudités, mais également délicieuse pour accompagner le poisson et la volaille.

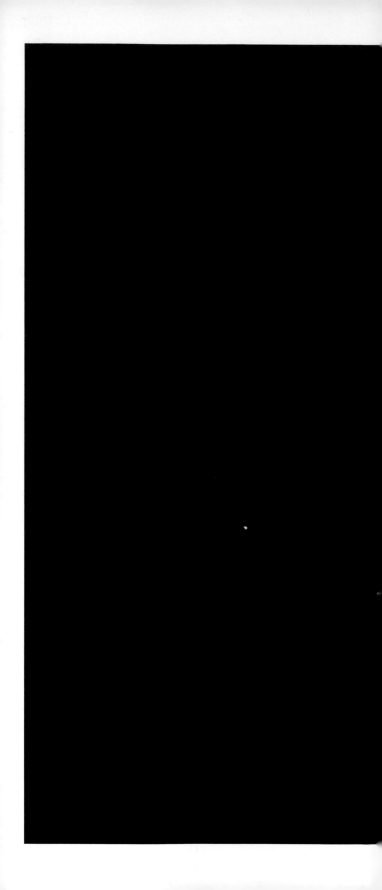

Index
alphabétique
des recettes

Index par thématique

Pendaison de crémaillère

Autour de la piscine

Pour un 5 à 7

Quelques bouchées végétariennes

Pour les grandes occasions

Autour d'un bon feu

Pour apporter au party de bureau

Les secrets des
bouchées
apéritives